HEIN

Die verlo... *Katharina Blum*

Edited with Introduction and Notes

by

Ulrike Hanna Meinhof, M.A.,
University of Sussex

and

Ruth Rach
University of Bath

MODERN WORLD LITERATURE SERIES

Nelson

Thomas Nelson and Sons Ltd
Nelson House Mayfield Road
Walton-on-Thames Surrey
KT12 5PL UK

Thomas Nelson Australia
102 Dodds Street
South Melbourne
Victoria 3205 Australia

Nelson Canada
1120 Birchmount Road
Scarborough Ontario
M1K 5G4 Canada

First published in the German Language by Verlag Kiepenheuer & Witsch 1974

©Text Verlag Kiepenheuer & Witsch 1974
© Introduction and Notes Harrap Limited 1980

This edition first published by George G. Harrap and Co. Ltd. 1980
ISBN 0-245-53547-0

This edition published by Thomas Nelson and Sons Ltd 1984

I(T)P   Thomas Nelson is an International
Thomson Publishing Company

I(T)P   is used under licence

ISBN 0-17-444581-4
NPN 19 18 17 16 15 14 13 12 11 10

The photos are reproduced by courtesy of
Verlag Kiepenheuer & Witsch, p.iv, and
Contemporary Films Ltd, p.2.

Printed in Croatia

CONTENTS

The main themes of the novel have been used by the editors of the present edition as a base for a new approach to language teaching at advanced level, which aims to combine the study of this literary text with background studies as well as the whole range of language activities such as grammar, stylistics, text analysis, discussion and essay work in:

TEXTLUPE: **Die verlorene Ehre der Katharina Blum** Arbeitsmaterialien für den fortgeschrittenen Deutschunterricht, Harrap, 1981

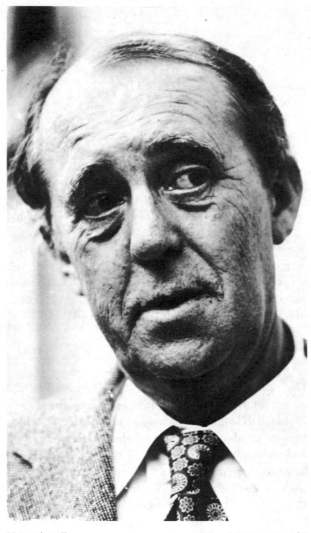

Heinrich Böll

INTRODUCTION

Heinrich Böll and post-war Germany

Heinrich Böll is incontestably the best known and most widely read modern German writer inside and outside Germany. He has won innumerable prizes, including the Nobel prize for literature in 1972, was president of the PEN club, is an honorary member of several universities in the USA, England and Ireland, and has been involved in official visits to such diverse countries as the Soviet Union (in 1962), to Israel (in 1969), to the USA and Scotland (in 1963), France (in 1974) and Portugal (in 1975). Much against his own will he has been labelled 'die Stimme des deutschen Gewissens'', a figure of moral authority and integrity conveniently used for political purposes as a representative of contemporary German culture to the rest of the world. After all, many of Böll's writings deal with the war and the Nazi past, so why not appoint him 'Vergangenheitsbewältiger', someone who could function as a living proof that post-war Germany was confronting and overcoming her recent dark history in a spirit of honesty and decency?

Inside Germany, however, Böll has played a different and much more controversial role. There, he has been labelled 'ein unbequemer Zeitgenosse', someone who 'constantly puts his foot in it'. Without himself belonging to any well defined political, social or cultural group, he none the less criticizes nearly all existing ones, be they the Catholic Church, or the political parties of right and left, or the *außerparlamentarische Opposition* (APO) – the leftist student opposition of the late sixties – to name but a few of the targets of his criticism. He has been called a 'leftist provocateur' by the right wing parties and a 'reactionary petit bourgeois' by the extreme left, and by various other groups a 'Catholic anarchist', a 'romantic', a 'destructive critic with few constructive ideas', and last but not least simply a 'mediocre writer'.

In East Germany he is very popular indeed and is celebrated by the regime as the most important West German writer. But there, too, Böll is used by the system: he is presented as a stern critic of Western capitalism, while his criticism of Soviet society is carefully censored and omitted from his published works. Why is it, one wonders, that Böll is placed in such a peculiarly exposed and contradictory position? For a start, he writes in and about a very contradictory society. West Germany is now a country of great socio-economic power, but it is also a country of great political extremes. Böll feels that the problems West Germany is facing today are intimately connected with the way in which it has, or rather has not come to terms with its own dark past.

What has happened to West German society since 1945, and how is it reflected in its literary life?

The so-called Stunde Null

Böll has in the past been criticized for being a writer with a very narrow range of topics. His early stories and novels deal almost exclusively with the war and the problems of the returning soldier, they are about ruined lives in a ruined country and form part of what is classified as the *Kriegs-, Heimkehrer- und Trümmerliteratur.*

His story *Wanderer kommst du nach Spa* (1950)[2] to mention but one example is a passionate outcry against hero worship in war: A young soldier wakes up from his coma to find himself back in the art room of his former school, a classics *Gymnasium* which has been turned into an army surgery. There are still traces of the school's humanistic tradition: statues of Cesar, Cicero, Marcus Aurelius, paintings of Frederick the Great and of Nietzsche – but they are now in horrible juxtaposition to the blood and the agony of the dying soldiers. When the young boy realizes that he has been made a complete cripple by the war, as his arms and leg are missing, he screams: it is the most basic – but also the only form of protest left to him. This story, as indeed many of Böll's early texts, are remniscent of Borchert's writings; they reflect his total despair about the failure of our culture in the face of the destruction which he witnessed during the war.

What one has to realize about the writers of that particular period is that their works were born out of a catastrophe: the generation born in the years 1916–25 felt that they had been robbed of their youth; they had nearly all suffered from severe disruption of their personal development, had been uprooted from their homes or had lost family and friends in the war. Böll himself, born in Cologne in 1917 during the last phase of the First World War, grew up in a period of enormous political and social upheaval. He was the eighth child of an ordinary family (his father was a sculptor and carpenter) which suffered great hardship in the war and in the economic depression. Fifteen years old when the Nazi party came into power, he lost his mother in an air raid, spent seven years as a soldier having to fight for something he never believed in, and deserted from the army twice. During the Nazi period, he tried his hand at writing without any hope of his work ever being published; and by the time he developed into a full-time writer at the age of twenty-eight, Germany and Europe were in ruins.

But the destruction Böll was facing was not just of an external kind; it could not be dealt with simply by economic measures and feverish rebuilding of the new Germany from its ruins. Germany had suffered a moral and cultural breakdown, and the subsequent attempts by the Allies and the special law courts at 'de-nazification' were an inadequate if not dangerously naive way of whitewashing the post-war society which was emerging in Germany:

> Das Fürchterliche an der nationalsozialistischen Seuche war, daß sie nicht als Episode abgetan, für erledigt betrachtet werden kann; sie hat das Denken verseucht, die Luft, die wir atmen, sie hat die Worte, die wir sprechen und schreiben, in einer Weise vergiftet, die nicht vor einem Gerichtshof bereinigt werden kann.[3]

Böll's statement here reflects one main concern of the post-war German writer: having experienced the spell-binding effects of Hitler's and Goebbels' speeches and the whole apparatus of Nazi propaganda, he feels that language is an extremely powerful weapon, an instrument that can be used and abused, and that it is the writer's responsibility to bring about a new sensitivity to words.[4] This new sensitivity means realizing the dangers inherent in the use (or misuse) of language in post-war Germany: the writer should counteract the manipulation of language through the mass media, press, films and advertising, and distrust the 'Sprache der verwalteten Welt' and its dehumanizing effects.

For Böll, one very effective way of doing this is by

means of satire. With *Dr. Murkes gesammeltes Schweigen* (1958)[5], for example, Böll launches a brilliant attack on the 'Kulturbetrieb' and the pretentiousness and emptiness of the language used by public figures on the radio. Dr. Murke, editor of cultural radio programmes, develops a rather strange hobby as a protest reaction against the floods of verbiage he has to deal with: he starts collecting 'silence', that is tapes of the speakers' pauses which he finds much more telling than the actual words that he has cut out ...

There is, however, a second equally important responsibility that Böll feels a writer — and indeed the artist — has: it is his duty to be involved and committed (*engagiert*) and to express publicly what might otherwise be suppressed.[6] Throughout his literary career, Böll has published a great number of essays in which he takes a very close and a very critical look at the Federal Republic, and it is also through them, and through the interviews and speeches which he has given, that he has become such a frequent subject of controversy.

Böll's fiction reflects the same strong sense of social responsibility. Böll feels that a writer can no longer sit in his ivory tower and use recondite words to address the select few while the rest of mankind is heading for disaster (an attitude that had been widely adopted by the artists and intellectuals of the pre-war period); his responsibility is first and foremost to describe the problems and experiences of the ordinary people in a language accessible to them.[7]

This, however, does not mean that the reader has an easy time by merely consuming the text in front of him: literature is not a form of escapism, it is both influenced by and influencing the specific society out of which it has emerged. The reality it is dealing with is felt to be too complex to be presented as a well-rounded whole, and the reader has to learn to develop some critical distance to the text. Böll confronts his readers with passages of a variety of linguistic registers, ranging from the vulgar to the stiltedly official; his narratives can no longer be said to have a straightforward traditional plot, since they are presented as seen through the eyes of one or more characters; the 'objective narrator' has disappeared or become a questionable entity himself, and the chronology is re-arranged and carefully restructured by means of flashback techniques, going backward and forward in time.

One typical example of this is Böll's novel *Und sagte kein einziges Wort* (1953)[8]. Böll describes the reality of the early fifties, as seen through the eyes of the two main characters, the couple Fred and Käte, both 'Menschen aus dem Volk' whose alternating narrations – or rather impressions, ideas, memories, feelings and dreams – give us an idea of the problems people were faced with in the young Federal Republic. The scene is one of ruins, hotels, railway stations, cinemas, fun-fairs, cemeteries, churches, where Fred, without a profession, without a place to live, wanders about aimlessly, while his wife Käte tries to cope with their children, with the problems of confined living space and the strains that circumstances are putting on their marriage. It is a social setting of extreme poverty, sharply contrasted with scenes of pompousness and false euphoria: there is, for example, a Catholic procession in all its splendour, which gets mixed up with the National Chemists' Congress so that the church banners are being replaced by flags carrying the slogan of the day: "Was bist du ohne deinen Drogisten?"

Böll is describing a world which does not provide for

Fred's and Käte's outer and inner needs, and their only comfort is their love for each other: Fred, who is made to feel a complete failure, says to Käte:

> du... weißt, daß ich ein Reinfall bin, und in meinem Alter ändert sich niemand mehr... Das einzige, was für mich spricht, ist, daß ich dich liebe.[9]

This is a topic that comes up time and again in Böll's writings: it is love and the 'zwischenmenschliche Beziehungen' which provide the only point of rest, comfort and strength in the face of a world dominated by institutions such as the Church, the Army or the Government.

Love is also a touchstone which makes people aware of the restrictiveness and superficiality of the profit-orientated 'Wirtschaftswundergesellschaft', and leads to their contracting out. In *Das Brot der frühen Jahre* (1955)[10], for example, the hero meets and falls in love with Hedwig, and immediately quits his lucrative job repairing washing machines for the German housewives. Their obsession with cleanliness acquires of course a deeper meaning in view of the moral whitewashing that is taking place, while the ground is being prepared for the economic miracle that is to take place in West Germany.

The Period of Wiederaufbau

In Böll's view the Germans seem to be incapable of coming to terms with their past.[11] He feels that they were only too ready to rush forward into an escape into the future, pretending that it is possible to start afresh, concentrating on and seeking comfort in economic prosperity and repressing their memory of Fascism. He sees the result as dishonesty, a moral vacuum, and a society of conflict and contradiction:

> Wir leben in einem komplizierten Land, wo einer, obwohl, trotzdem, oder gar weil er Nazi war, Politik machen, ein Amt bekleiden kann.[12]

Böll thinks that the Germany of 1945 did have a unique opportunity to establish a peaceful and truly democratic society, and to consider socialist alternatives to the capitalist system. He would have liked to see the *Stunde Null* as a 'geschenkte Revolution'[13], a situation where a certain state of economic equality between the people had been reached simply because most people were left penniless. For him, the two main organizations which prevented a fundamental social and political re-orientation were the Catholic Church and the Christian Democratic Party (CDU).

Böll accuses the Catholic Church of having played a very questionable role during the National-Socialist period. Given the fact that the official relationship between the Hitler regime and the Church was a concordat, (in 1933 the Vatican entered into an agreement with Hitler), established Catholicism can in no way claim to have been a centre of resistance to the Nazi regime. Whatever opposition there had been was based primarily on individual initiative.

In Böll's view, the Catholic Church in 1945 failed again as an institution to practise solidarity with the people. Instead of making common cause with the unemployed and the hungry, it decided to side with big money, to withdraw into bourgeois isolation[14] and to support those forces within the CDU which were in favour of rebuilding the materialistic Germany of today.[15] Böll, a professed Catholic himself, feels that the Catholic Church has become a major contributory factor for the anti-Communist hysteria that developed in the fifties and took such a disastrous turn in the seventies because it had condemned Socialism, equating it with atheism, and had thus helped to divide East and West into two completely different spheres.

> Und diese Abgrenzung der Welt, westlich in Christentum und östlich den Atheismus, war einfach schwachsinnig. Das war der geistliche oder sagen wir: theologische Schwachsinn, und der politische ergab sich daraus, und dann setzte man eindeutig und total auf den Kapitalismus.[16]

There is a big gap between the Catholic Church as an institution, concerned with questions of form and taste rather than content, and her followers who 'ask for bread' but are given a poor substitute[17]. Böll seeks a society based on the principles of the *Urchristentum*: on love, pity, mercy and respect, and this comes up in nearly all his writings forming the central theme in his controversial novel *Ansichten eines Clowns* (1963)[18]. Hans Schnier, the 'hero' of this novel, who has dropped out of his conventional existence (a rich industrialist family) in protest against the conformism and hypocrisy of bourgeois Catholic society and has become a clown, experiences a total breakdown in his existence when Marie, his common law wife, deserts him to marry a prominent Catholic. For Schnier, who is unconventional and anti-institutionalist by nature, Marie is committing the crime of bigamy; for society, however, Marie is finally living in respectable because legalized circumstances.

Apart from the established Catholic Church, Böll's second major target under attack in the years of restoration is the CDU, and one institution for which he holds them responsible: the *Bundeswehr,* the West-German Armed Forces. Böll feels that the CDU failed to live up to its first political programme of 1947, a programme showing strong social concerns, and under the leadership of Adenauer steered Germany straight into economic and political integration with the western world.

Germany's rearmament in 1956 was just a logical step in that development: the Federal Republic was to become the bastion of anti-Communism, and it is no accident that the KPD, the Communist Party, was outlawed in West Germany in the same year the *Bundeswehr* was created.

Böll the anti-militarist is deeply distressed that the Germans, and indeed the Western World, have not learnt their lesson from the war, and he expresses his protest in a number of open letters, the most famous being *Brief an einen jungen Nichtkatholiken* in 1966.[19] In the same year, he published *Ende einer Dienstfahrt*[20], a story full of satire and parody in which he exposes the absurdity of the *Bundeswehr*. The hero, Gruhl junior, is conscripted into the army, much against his own will, and instead of doing useful work helping his father with his small business, has now to drive jeeps simply because according to regulations these jeeps must have a certain mileage in order to be ready for inspection. Suffering under the pointlessness of his 'duties', he decides to burn the jeep, but is cunning enough to declare this action of protest a 'happening', i.e. a form of art – and gets away with it: the law court, having invited an expert to the hearing – in this case a professor of art who is deeply impressed with this highly original and significant contribution to contemporary German art – acquits Gruhl by endowing him with the fool's licence of the artist. Böll's sarcasm about the function of art in our society can hardly be missed here.

Gruhl is yet another instance in Böll's stories of someone who finds a basically individualistic form of protesting against an institution which threatens to dominate him. But Gruhl is still successfully contained by his society at the (happy) end, owing partly to the stupidity of the system, and partly to the support he is given by his friends. If we compare him to Katharina Blum, another case where an individual is being interfered with and victimized by certain established forces within society, we find that the form which her protest is taking is still individualistic, but much more radical and with much more drastic consequences for her own life.

The establishment of the *Bundeswehr* was for Böll just one example of the increasing power of certain pressure groups who were undermining German democracy:

(Die Politiker)... wollten ein bestimmtes Ziel: die Wiederaufrüstung der Bundesrepublik Deutschland *gegen* den Willen der damals friedfertigen Deutschen; Sie haben mit Terror, mit Geld, Propagandamitteln, durch eine fast komplette Gleichschaltung der Opposition, der Zeitungen, durch systematische Denunzierung aller Gegner der Wiederaufrüstung ihr Ziel (vorläufig!) erreicht[21].

Neither of the churches, Catholic or Protestant, nor indeed the Social Democratic Party (SPD) seemed willing or able to stop the undemocratic processes that were under way. In 1968, the *Notstandsgesetze* were pushed through parliament (giving strong legislative powers to a special committee in time of crisis), much against the will of a large section of the German population which feared that these laws could easily be abused: for who was, after all, to define what a *Notstand* (emergency) was?

It was in those years that the APO, the 'extraparliamentary opposition', was formed partly in answer to the Grand Coalition which then united the two main parties, the SPD and the CDU, since it was felt that there no longer existed any effective opposition in West Germany. The APO was a very complex movement of pacifists, socialists and nuclear disarmament groups, largely supported by the students, who all felt that they had 'no alternative': they had no means of influencing the rigid power structure within the existing political institutions. Böll, the anti-institutionalist, supported their case, feeling that they were revealing the mistakes of the previous twenty years. As early as 1963 he had written:

Mir kommt die Bundesrepublik schon fast wie ein Einparteienstaat vor, die Links- und Rechtstopographie wie ein Ausweichmanöver. Es gibt ja nur "Flügel" bei den Parteien, auch linke, wie ich wohl weiß, sie kommen mir immer vor wie anstandshalber noch nicht amputierte Schwingen eines Vogels, der nicht mehr zu fliegen braucht, pensionierter Bussard.[22]

And in his open letter to Walraff, a writer of the post-war generation whose research into the malpractices of various German institutions, famous and infamous, have made him into a very controversial and much-feared public figure, Böll argues:

> daß Ihre Generation noch schändlicher verraten worden ist als unsere, schändlicher, weil ohne Not und ohne Notwendigkeit, und ich verstehe es immer besser, daß es Ihrer Generation immer schwerer fällt, fast körperliche Übelkeit verursacht, wenn Sie das Wort "christlich" zuhören bekommt.[23]

Böll does, however, also criticize the APO for its 'arrogant vocabulary' which alienates it from the people, and he repeatedly takes a very strong line against the use of violence. Yet eight years later, Heinrich Böll published a book that places the topic of violence right in its centre: *Die Verlorene Ehre der Katharina Blum oder: Wie Gewalt entstehen und wohin sie führen kann* (1974)[24]. What are the developments that have taken place in Germany that made Böll write his most controversial novel so far?

Böll and the Germany of the Seventies

Even when at his most critical, Böll retains a humanist outlook. He may be highly satirical and dismissive about certain features of society, but his way of presenting his characters always betrays a basic sympathy for mankind. Part of his innovative uniqueness in contemporary German literature is precisely that: a good sense of humour, which lightens or leavens the insistent moralism of his stories.

Yet there is a definite development, if not radicalization, in Böll, both as a writer and as a public figure: his writings, fictional as well as documentary, are intimately connected with the developments in the Federal Republic, which they reflect and influence.

As a president of the PEN Club, Böll was very active indeed politically in supporting the cases of Solzhenitsyn and his fellow writers in the USSR. In West Germany, this kind of activity created little disturbance, it could be regarded favourably, since it was yet another opportunity to show up Communist totalitarianism. But when Böll refused to pay his church taxes, thus protesting against what he called reactionary policies of the Church, and claiming that these were clearly directed against the interest of her people, he created a big storm in the press. He created an even bigger public scandal in 1972, by sending flowers to Beate Klarsfeld and congratulating her for having slapped the Federal Chancellor (Kiesinger) in the face after details about his Nazi past had been released. Böll was beginning to get 'too much under the skin', and his most critical moment came when he took a public stand against the witchhunt in Germany for the Baader-Meinhof group.

The article, which caused more scandal and controversy than anything in Böll's career appeared on 10 January 1972 in the news magazine *Spiegel* under the title "Will Ulrike Gnade oder freies Geleit?"[25] It contained Böll's most passionate statement about what he called "eine Aufforderung zur Lynchjustiz" by one particular tabloid paper *Bild*. *Bild* is a phenomenon unique in Western Europe as far as circulation figures and public impact are concerned. Owned by one of Europe's most influential press barons, Axel Springer, a convinced right wing crusader, of whose numerous publications *Bild* is the most sensational example, *Bild* had right from the beginning of the student movement taken an unabashed strong anti-student line. With headlines forever suggesting links between students, Communists, and violence, *Bild* antagonized and whipped up emotions about what was never – not even at the height of the action in 1968 – more than a modest student movement, especially if compared with those of France and the US. When in April 1968, Rudi Dutschke, one of the most prominent student leaders, was shot and severely wounded[26], the mentally disturbed assassin explained he had done it because of his hatred for communists. This hysteria about Communism as well as the identification of students with the hated 'reds' was typical of the kind of sentiment *Bild* had been spreading for years. Even Jillian Becker, the anything but left-wing author of *Hitler's Children – The Story of the Baader-Meinhof Gang*[27] points to the possible connection between the attempted assassination and *Bild* articles. She quotes a *Bild* article which appeared two months before the attack on Dutschke, carrying his picture next to a headline entitled "Stop the terror of the young reds now".

In 1970, the well-known journalist and writer Ulrike Marie Meinhof in an armed attack helped Andreas Baader to escape from a library, where he was being allowed to do research while serving a three-year prison sentence for arson. *Bild* seized upon this unique opportunity and built up an unparalleled campaign of reports and allegations against what became known as either the *Baader-Meinhof Gruppe* or *Bande* – a distinction of much more than a linguistic kind[28]. *Bild*, with an estimated readership of 10,000,000, kept an entire nation going day by day with a mixture of bloodthirsty reports and wild allegations about the size, the aims and danger of the group. Headlines such as "Baader-Meinhof Bande mordet weiter", or: "Komplize enthüllt BM Pläne: Bomben auf Rathäuser – egal ob dabei Menschen sterben" or: "Baader droht: Volkskrieg in Deutschland"[29] created an atmosphere of intense fear amongst many ordinary Germans, who, in their new-found prosperity after war and inflation, had already been horrified by groups of long-haired students protesting against what was to them the 'best of all Germanies ever'. The threat by a 'Manifesto' of urban guerrillas declaring war against this society played on the fears of the German population still potent despite the *Wirtschaftswunder*: the fears of instability and the undermining of law and order. With hindsight, the activities of the original Baader-Meinhof group appear surprisingly limited, consisting mainly of bank robberies. The infamous and internationally publicized later events – such as the plane-hijacking and the Mogadischu incident, the cold-blooded murder of kidnapped German industrialist Schleyer and of other important German businessmen, not to be excused or sympathized with by anybody, left or right – were executed by a 'second generation' of terrorists, the 'Red Army Faction' (*Rote Armee Fraktion*). By this time, the Baader-Meinhof group members were either dead or imprisoned in the specially erected maximum security prison *Stammheim*. Yet it was the early activities of the Baader-Meinhof group which, with the help of *Bild*'s unrelenting attack created an unparallelled atmosphere of impending civil war in Germany. This sense of the state's being under attack justified to the majority of Germans counter-measures by the state, which regarded by many liberal thinkers in Germany and abroad as deeply illiberal and unworthy of a stable modern democracy.[30] It is in this context that Böll's article with its chilling, almost prophetic forecasts has to be read. These are a few of the most poignant statements:

Die Überschrift "Baader-Meinhof-Gruppe mordet weiter" ist eine Aufforderung zur Lynchjustiz. Millionen, für die *Bild* die einzige Informationsquelle ist, werden auf diese Weise mit verfälschten Informationen versorgt...

Die Bezeichnung Rechtsstaat wird fragwürdig, wenn man die gesamte Öffentlichkeit mit ihren zumindest unkontrollierbaren Instinkten in die Exekutive einbezieht; wenn man die Qualität des Rechts der Quantität von Erfolg und Popularität opfert...

Ulrike Meinhof und der Rest ihrer Gruppe haben keinerlei Chance, irgend jemand politisch opportun zu erscheinen. Äußerste Linke, äußerste Rechte, linke und rechte Mitte, Konservative und Progressive aller Schattierungen, sie alle kennen keine Parteien mehr, sie sind dann nur noch Deutsche und sich einig, einig, wenn sie endlich in ihre deutsche Schwatzgenüßlichkeit zurückfallen, sich ungestört ihrem Fraktionschinesisch ergeben können, wenn geschehen sollte, was nicht geschehen darf; wenn man eines Tages lesen würde, daß auch Ulrike Meinhof, später Grashof, dann Baader und Gudrun Ensslin als 'erledigt' zu betrachten sind...

Muß es so kommen? Will Ulrike Meinhof, daß es so kommt? Will sie Gnade oder wenigstens freies Geleit? Selbst wenn sie keines von beiden will, einer muß es ihr anbieten. Dieser Prozeß muß stattfinden, er muß der lebenden Ulrike Meinhof gemacht werden, in

Gegenwart der Weltöffentlichkeit. Sonst ist nicht nur sie und der Rest ihrer Gruppe verloren, es wird weiter stinken in der deutschen Publizistik, es wird weiter stinken in der deutschen Rechtsgeschichte . . .

Ulrike Meinhof will möglicherweise keine Gnade, wahrscheinlich erwartet sie von dieser Gesellschaft kein Recht. Trotzdem sollte man ihr freies Geleit bieten, einen öffentlichen Prozeß, und man sollte auch Herrn Springer öffentlich den Prozeß machen, wegen Volksverhetzung . . .[31]

The article, from which these extracts are quoted, caused the most extraordinary uproar amongst media and public in Germany: a whole paperback documentation is in print[32], collating some of the innumerable articles, speeches, statements, cartoons which followed in its wake. It made Böll himself the centre of a witchhunt campaign by the Springer press, very similar to the one he had so strongly protested against.

The Baader-Meinhof sequence of actions, whatever their nature and effectiveness, caused extreme public agitation, and it was this agitation which disturbed Böll and many like-minded thinkers by its pitch and intensity. Whatever assessment was to be made of the subversive activity by a group of intellectual revolutionaries, this was the activity of a very small element in the total political life. The disturbing element to Böll lay in the amazing overreaction to the activities – a turbulence, hardly rational, springing from profound anxieties, suspicions, fears, not explicable in terms of the actual incidents.

So Böll's response, already sharpened by his experience of the Third Reich, was to the extreme behaviour of the great majority and the manipulation of popular sentiments, fears and resentments by the agencies supposedly dedicated to the public good, such as the newspapers.

Whatever the viciousness of the group, to Böll it could not justify the collective viciousness of the manipulated public feeling articulated by *Bild* and similar journals and programmes. Böll's dismay and indignation was channelled not into a documentary about terrorism and certainly not into its defence. It crystallized in a fable about that society itself, where the uncontrolled feelings of a manipulated public eventually provoked ultimate reactions from ordinary 'good citizens' with no previous sense of antagonism against society. Katharina Blum is not a portrait of Ulrike Meinhof, and nothing in the novel could possibly suggest such a link. As Böll himself put it quite simply:

> Was mich an diesem Buch interessiert hat, ... oder sagen wir, interessiert hat, die Erzählung zu schreiben, war die Überlegung: Was passiert mit einem völlig unbekannten, wehrlosen Menschen, der durch irgendeinen Zufall in die Schlagzeilen gerät?[33]

Taking this as a starting point, Böll eventually created a dramatized image informed and inspired by his intimate knowledge of West German society: the novel *Die verlorene Ehre der Katharina Blum*.

The Narrative Technique of the Novel

Die verlorene Ehre der Katharina Blum is a far more complex and sophisticated text than it appears to be at a first reading.

Following a brief encounter with a man wanted by the police, the hitherto unremarkable Katharina Blum becomes the object of a smear campaign conducted by an unscrupulous newspaper. Labelled a whore, communist sympathizer and atheist, her life is ruined; her privacy and reputation systematically destroyed.[34]

Thus the blurb of the Penguin English translation which continues in a partly suggestive, partly misleading way: "In the formal manner of a police report, Heinrich Böll traces events as they lead to their violent conclusion."[35]

The blurb misses out what the nature of this "violent conclusion" is, as though it did not wish to spoil the traditional climax of a 'whodunit'. The novel's narrator, however, is less concerned with holding back this information. His narration of the events begins as follows:

Die Tatsachen, die man vielleicht einmal darbieten sollte, sind brutal: am Mittwoch, dem 20.2. 1974, am Vorabend von Weiberfastnacht, verläßt in einer Stadt eine junge Frau von siebenundzwanzig Jahren abends gegen 18.45 ihre Wohnung, um an einem privaten Tanzvergnügen teilzunehmen.

Vier Tage später..., am Sonntagabend um fast die gleiche Zeit – genauer gesagt gegen 19.04 –, klingelt sie an der Wohnungstür des Kriminaloberkommisars Walter Moeding, der eben dabei ist, sich aus dienstlichen, nicht privaten Gründen als Scheich zu verkleiden, und gibt dem erschrockenen Moeding zu Protokoll, sie habe mittags gegen 12.15 in ihrer Wohnung den Journalisten Werner Tötges erschossen... (ch. 3, pp. 8, 9)

What makes any such summary of events, either by the outside critic or the internal narrator so unsatisfactory is their attempt to state simply and clearly a few facts – "Fakten", as the narrator calls them (ch. 3). Facts, which Heinrich Böll, the writer of the novel, but not – as we shall see – the narrator of the events, deliberately embedded in a complicated narrative structure which stops them from being mere facts.

Why, contrary to the statement on the blurb do we differentiate between the novelist and his internal narrator, since nowhere in the text is there an obviously named character who tells the story? (As is the case in the famous 'multi-focal novels' such as Emily Brontë's *Wuthering Heights* (1847), Max Frisch's *Stiller* (1954), Thomas Mann's *Doktor Faustus* (1947), and many others). The crux lies in the discrepancy between the perception of the novel as a whole, the totality of its meaning, and the much more limited, very particular and biased viewpoint of the internal narrator. Only by understanding and appreciating this discrepancy can one fully understand the meaning of the novel, and the subtlety of Böll's writing.

The Narrator's Document

Right on the first page, the narrator presents himself as somebody who, whilst himself remaining in the background, simply transcribes and records events from available sources, from some minor and three major sources, as he carefully states in his first sentence. Throughout the novel he quotes these sources with meticulous attention to detail, never himself engaging in any research of his own. His aim is to remain as distanced and detached as possible, and to present the events as undramatically as possible. Any unavoidable drama and tension inherent in the events, such as the killing of Tötges or the fight between Blorna and Sträubleder, he tries to counteract by various strategies, ranging from many apologies for having to mention blood and tension at all[36], to his deliberate restructuring of the chronology to avoid any such climax. Thus he anticipates on the one hand the killing of Tötges before he gives the reader any chance of involvement (ch. 3), on the other he admits any genuine account of how – and therefore also why – it happened until the very last moment (ch. 58). This wish to minimize the drama is also reflected in his dry, unemotional tone, which intriguingly enough the quoted blurb picks up by calling it the formal manner of a police report, but mistakenly attributing it to Böll. The grammar is equally expressive of this withdrawal consisting as it does almost exclusively of passive and impersonal constructions and reported speech.[37]. When events force the narrator to confront violent acts, he tries to see them in a different light by aestheticizing their effects; that is, he prefers to see the pattern and style of an event, rather than its immediacy and impact. Instead of a description of what blood and violence *really* signify, he finds analogy and metaphor, often circling around the colour red. The shot Tötges, for example, gets described in terms of colour effects like a modern painting – red on white – echoing the piece of 'action art' by an artist friend of the Blornas', who after Blorna's attack on Sträubleder collects a few drops of blood from Sträubleder's nose, frames them and signs it: to signal the end of Blorna's and Sträubleder's friendship and to help Blorna with his financial difficulties. To the narrator searching for something positive, this proves: " ... daß die Kunst doch noch eine soziale Funktion hat." (ch. 56, p. 116)[38]

Most obviously, however, his wish for detachment and the effect this has on his reporting is shown by his fear of assessing and judging what he reports. This he hopes to achieve by not drawing any conclusions of his own – "da hier nicht ge- sondern nur berichtet werden soll, soll es bei der Mitteilung von Fakten belassen bleiben..." (ch. 57, p. 117) by not showing any emotions of his own, and by simply taking over language, style of speech, and often the mood of the people he writes about. Ironically, and this is of course proof of the masterly control of the novel's tone by Böll, this very strategy creates the opposite effect. By continuously quoting other people – most of them the so-called objective sources, i.e. people lacking sympathy and understanding for Katharina – he also quotes and takes over their judgement. Thus by his quoting police statements about Katherina he does not in fact describe her neutrally; by using their heavily charged, morally loaded terms, he, too, censures and judges. He often, for example, talks about "*die* Blum" (ch. 17, p. 25) – a prejorative expression used to debase people – calls her a murderess (ch. 57), even describes her as having executed the murder "mit einer kalten Klugheit" (ch. 4, p. 11). Since Katharina is badly understood by all her interrogators, but also to a certain extent by her closest friends[39], there is very little said or shown by the narrator that would explain her motives, excuse and vindicate her. "Sie hat den Mord ausgeführt und damit basta" (ch. 36, p. 70) on the contrary, attempts to explain Katharina's behaviour show her in a highly unfavourable light, as in the reporting of the ring incident; when false motives are attributed to her without any mitigation from the narrator:

> Es war allen Anwesenden klar, daß Katharina den
> Ring erkannte, dessen Wert aber nicht gewußt hatte;
> daß hier wieder das heikle Thema Herrenbesuch
> aufkam. Schämte sie sich etwa nur, weil sie ihren Ruf
> gefährdet sah, oder sah sie jemand anderen gefährdet,
> den sie nicht in die Sache hineinziehen wollte? Sie
> errötete diesmal nur leicht. Gab sie deshalb nicht an,
> den Ring von Götten bekommen zu haben, weil sie
> wußte, daß es ziemlich unglaubwürdig gewesen wäre,
> aus Götten einen Kavalier dieses Schlags zu machen
> (ch. 24, p. 48).

The activities of the police on the other hand are
reported and explained in a much more favourable light.
Whereas Katharina is said to lack a sense of humour
(ch. 16), to be "verbockt" (ch. 19) and pedantic (ch. 18),
the policewoman Frau Pletzer is praised for having "eine
offene und nette Art" (ch. 25), Beizmenne is described as
fatherly (ch. 19), and when he shows his delight at the
result of his cunning and illegal bugging of Katharina's
telephone, unknown to all the others, the narrator picks
up Beizmenne's "Entspanntheit, Freundlichkeit, und
Milde" (ch. 24), but not the malice in his pleasure.[40] If
the behaviour of the police – such as posing the infamous
question about her night with Götten in chapter 12
(p. 18) – seems reprehensible even to the narrator, he
quickly reassures us, that there is no definite proof that
the question was asked, and in any case, the narrator's
description of "die äußerst attraktive Blum" leaning
casually against the counter whilst wearing only a
housecoat with nothing underneath, goes some way to
excuse the vulgar aggresssion of the question (ch. 11

and 12). The narrator's document within the novel thus emerges as a dry unsympathetic account of Katharina's involvement, not only because of the facts he does report, and the way in which he reports them, but notably by his omission of any sympathetic understanding and pity in the light of Katharina's sufferings. He has after all more complete access to the facts than anybody else in the story, tells the events retrospectively, and would therefore have every opportunity to correct the misrepresentations about Katharina as he goes along. By insisting – to name one of the many instances – on naming every bottle and jar which K. throws against the walls of her flat in desperate response to the filth which newspapers, readers' letters and phone-calls poured onto her, the narrator shows what seems an almost inhuman preference for picking out irrelevant detail in lieu of commenting on the tragic significance of this moment. (ch. 35)

The Narrator and his Society

The narrator's obsession with dry unemotional language and facts can partly be seen as a deliberate counterpoint to the sensationalist language and distortion of facts through the *Zeitung* and the *Sonntagszeitung*. But more importantly, his obsession with research, fact-collecting and documentation is shared by his society as a whole, and makes him a typical and representative member of it. The activities of the police with its army of investigators and detectives, who in one instance even suspect each other (ch. 33), show an overwhelming interest in accumulating minute details as a way to establish the truth. The observing, searching, interviewing, bugging, spying – the whole network of researching and recording every second of an event or of a person's life – is perfectly mirrored by the narrator's own obsession with fact and data collecting. And even *die Zeitung*, while maliciously distorting facts by misquoting and misrepresenting is paying homage to a pseudo-factual basis by their insistence on documentation and 'on the spot reporting'. The words of K's dying mother have to be elicited and then altered, "Artikulationshilfe" (ch. 42) as Tötges calls it, not just invented. The population in turn responds to this 'Zerrspiegel' of reality by believing these falsely reported 'facts' and documentations. Even some of Katharina's friends alter their opinion about her to make it fit her distorted image.

But what do all these facts lead up to? All the documentation and detailed research by the police, the whole apparatus of investigation gets imposed on a non-event: the case of the alleged major criminal gang with Götten in its centre and Katharina, the "Herrenbesuch", Else W., the Blornas and many others implicated, eventually narrows itself down to Götten, whose actual crime appears to consist of having emptied an army safe and deserted from the army.

The police's theory that Götten is making hot contacts, leading to a whole network of terrorists is used by Beizmenne as justification for bugging several telephones of innocent people. These hot contacts, however, turn out to be army officers and officer's wives.

What the police apparatus does reveal is corruption within the army, and moreover, through its illicit methods of discovering this, the police force exposes itself: What is therefore really uncovered is corruption within parts of the law-enforcing system and not any terrorist conspiracies directed against that system.

xxx

But not only is the fact-finding machinery not producing its intended revelations, it does the opposite, since it creates confusion and suspicion. The whole society, so devoted to rational detail, is in fact held together by apprehension and irrationality. Since every fact gets recorded, since everything and everybody gets suspected, everything becomes full of implications and hidden meanings. Thus the discussion about which dessert Herr Lüding should eat on Sunday becomes indistinguishable from an anarchist's encoded conversation about grenades and bombs. (ch. 41). This is only an amusing example for the serious and intrusive confusions which such a society of suspicion creates. When Katharina (whose past and present life, her family, her marriage etc. have been investigated to the last detail) suddenly gets confronted with her high petrol costs – a revelation made available to the police by Katharina's own scrupulous book-keeping, the narrator reports:

> Und jetzt, als Beizmenne mit seinen Fragen und Berechnungen fertig war, herrschte – nach der Aussage mehrerer, fast aller anwesender Personen – Totenstille, als ahne man, daß hier jemand auf Grund einer Feststellung, die – wären nicht die Benzinrechnungen gewesen – leicht hätte übersehen werden können, tatsächlich in ein intimes Geheimnis der Blum, deren Leben sich bisher so übersichtlich dargestellt hatte, eingedrungen sei. (ch. 24, p. 43).

Ironically, as the reader, but not the narrator or the police interrogators appreciate, these kilometres do contain an intimate secret of Katharina's life, unknown to even her closest friends – her fears and her loneliness.

But to Beizmenne this intimate secret together with the expensive ring and envelope give the clue to her supposed involvement with Götten's criminal activities. By the same insensitive compilation and assessment of details an ever-widening circle of suspects grows around Katharina. The details which are found out – be it Else W.'s mother choosing to remain in the GDR or Trude Blorna's 'redness' (actually due to her hair colour and not her political activity) and many others – seem with hindsight to justify the search, but are, (as the reader notices) entirely irrelevant. What makes the facts and the details come alive, gives them their meaning and thrilling actuality is not their factual content but the very opposite of the rational pretext: a whole web of fantasy and innuendo. This is the real undercurrent which connects narrator, police, newspaper reporters and public. The awareness, assessment and eventual dismissal of this fantasy world by the reader of the novel is what differentiates his view and Böll's from the narrator's. While the narrator reports details of police interrogations, newspaper articles, letters to Katharina without making inferences or judgements, the reader is aware of how these things connect. He differentiates true and pretended reality, he assesses and judges, by reconstructing the facts in a way which includes the values and emotions attached to them. He sees through the pseudo-factual surface to what informs and activates the fantasy world below: a convergence of two principles, which concentrate this society's hidden fears, those aroused by sexuality and left-wing politics. The mere hint of one or the other gets exaggerated into a combination of political and sexual deviancy – suggested by the *Zeitung* and greedily digested and reinforced by the public – as the letters and phone calls to Katharina so aptly show. (ch. 34)

In this context it is significant that Böll placed the action in the days when the carnival season builds up to its climax. Traditionally a mocking reversal of the political order with the peasant and townsman taking the mask of a king or pope or other ruling figures, it is celebrated as a period of licence, when rules and codes of behaviour are either relaxed or reversed and hidden, usually sexual feelings are temporarily released. In the novel the most popular form of disguise is the Sheik costume to highlight who makes up the new aristocracy of a money-centred world. Thus the carnival season provides a highly charged symbolic background to the action. It is not accidental but bitterly ironic that Katharina who wears no mask when she meets Götten is compelled to take part in the masquerade. By adopting the costume of a Beduin woman to evade her journalistic notoriety she abandons her real character and – in an enforced role – eventually shoots Tötges.

The Double Focus

Böll's use of the carnival image is also a very effective example of the double focus of the novel, since to the narrator the carnival has obviously no such significance.[41] Similarly when the narrator describes his principle of narration in a rather fanciful and extended metaphor, using the pun on the word "Quelle" it is the reader who understands its implications:

> Wenn der Bericht – da hier so viel von Quellen geredet wird – hin und wieder als "fließend" empfunden wird, so wird dafür um Verzeihung gebeten: es war unvermeidlich. Angesichts von "Quellen" und

"Fließen" kann man nicht von Komposition sprechen, so sollte man vielleicht stattdessen den Begriff der Zusammenführung (als Fremdwort dafür wird Konduktion vorgeschlagen) einführen, und dieser Begriff sollte jedem einleuchten, der je als Kind (oder gar Erwachsener) in, an und *mit* Pfützen gespielt hat, die er anzapfte, durch Kanäle miteinander verband, leerte, ablenkte, umlenkte, bis er schließlich das gesamte, ihm zur Verfügung stehende Pfützen-wasserpotential in einem Sammelkanal *zusammenführte*, um es auf ein niedrigeres Niveau ab-, möglicherweise gar ordnungsgemäß oder ordentlich, regelrecht in eine **behördlicherseits erstellte Abflußrinne** oder in einen Kanal zu lenken. Es wird also nichts weiter vorgenommen als eine Art Dränage oder Trockenlegung. Ein ausgesprochener Ordnungsvorgang. (ch. 2, p. 8)[42]

The narrator uses the image of drainage systems as some form of "Ordnungsvorgang", thereby involuntarily suggesting a system of sewerage, to give the reader a sense of the foulness and corruption generated by the obsessive concern with order and control.

The possibilities of freedom in this society appear closely linked with the way language is being handled. The distortions by the newspaper for example[43] are shown to be much more than distortions of words alone; they amount to interference with the individuals' basic rights. Through it, the lives of ordinary citizens like Katharina and her mother, the Blornas and many others are intruded upon and violated. In the light of the defamation of the individual by the *Zeitung*, the pas-sionate plea of the public prosecutor, Herr Korten, for freedom of the press and its right to keep its information sources a secret is deeply ironic; not only because the information sources are often the police themselves, but especially since it reveals a damaging reversal of the sense of who needs protecting in a society.

Against the institutionalized power of the *Zeitung* and the *Sonntagszeitung* with their macabre links with the so-called forces of law and order, the private individual is left utterly and depressingly helpless.[44] The chance of a 'Privatklage' ever reaching the centre of such a concentrated power complex is non-existent, and any suggestion of it smacks of deep sarcasm (ch. 27 and 28).

This connection between the use of language and the freedom of the individual is not only pinpointed by the novel's attack on the newspapers' crass abuses. Sensitivity to language or alternatively the lack of such sensitivity are also shown to be more than just verbal concerns. When Katharina insists on her distinction between "zärtlich" and "zudringlich", "gütig" and "gutmütig" (ch. 18), and talks about her lost honour (ch. 27), she is not merely being fussy or pedantic about words, as the police accuse her. It is her entire way of thinking, feeling and living which is in question, or rather on trial. In a world where two qualities like "Treue und Stolz" can endanger life (ch. 38), Katharina's sincere, unabashed feelings about Ludwig Götten and her ability to live and enact them spontaneously make her clash with most people around her and therefore highly suspect. The various accounts of her evening with Götten, carefully distributed over different parts of the novel, highlight this discord. She is doubly and contradictorily accused: for being sexually too prudish, so much so that she gets nicknamed "die Nonne", as well as for being debased and promiscuous. Her two cousins spell this out by relating to the police Katharina's disapproval of their search for a partypartner (ch. 29) as well as registering their surprise at Katharina's quick familiarity with Götten (ch. 29 and 30). Another party visitor, George Plotten, deplores the serious and solemn mood which Katharina's and Ludwig Götten's behaviour created as not suitable for carnival parties. (ch. 31) To Beizmenne, however, this behaviour proves Katharina's guilt. Whereas he identifies all of Götten's previous contacts as chance encounters and not as planned ones, he won't accept Katharina's meeting with Götten as accidental: in his own words:

Ich lasse mir aber nicht einreden, daß die Blum ebenfalls ein Zufallskontakt war. Ihr Telefongespräch mit der Scheumel, die Pünktlichkeit mit der sie bei der Woltersheim auftauchte, auch die verfluchte Innigkeit und Zärtlichkeit, mit der die beiden von der ersten Sekunde an getanzt haben – und wie rasch sie dann miteinander abgezischt sind – alles spricht gegen Zufall. (ch. 33, pp. 65, 66)

In contrast to this, the account by the two cousins of how they came to meet Götten and invite him to the party (see chapter 29) strikes him and the narrator as reasonably acceptable. This kind of superficiality in one's social behaviour is adequate, where the possibility of genuine, spontaneous affection is not given even a moment's credence. It is therefore doubly obvious why Katharina never even attempts to explain to Beizmenne her involvement with the gentlemen visitor. As she herself points out to her friends:

Wer würde ihr schon glauben, daß sie einem Menschen wie Sträubleder widerstehen würde, der ja nicht nur wohlhabend sei, sondern in Politik, Wirtschaft und Wissenschaft seines unwiderstehlichen Charmes wegen geradezu berühmt sei, fast wie ein Filmschauspieler, und wer würde einer Hausangestellten wie ihr schon glauben, daß sie einem Filmschauspieler widerstehen würde, und nicht einmal aus moralischen sondern aus Geschmacksgründen. (ch. 44, p. 96).

In the opinion of the public, this combination of money and fame, must override any possibility of rejection based on the individual's own sensitive reaction.

In the end, though, the novel also contains a bitter dramatic irony about the impact which stereotyped expectations can have on those who wish to live outside them. The over-defined, restrictive role, the image which is attributed to each individual eventually swamps and replaces the original character. As in the case of Andi in Max Frisch's *Andorra* (1961) who becomes what the others say he is, Katharina, the Blornas and even Else Woltersheimer respond at least partly to the synthetic image created for them. Accused of left-wing terrorist sympathies Blorna eventually does hit Sträubleder and dreams of throwing Molotov cocktails, Frau Woltersheimer develops "gesellschaftsfeindliche Tendenzen" (ch. 55), Katharina shoots a journalist. The images imprinted by press and police on the few resisting individuals leave their marks, and thus with hindsight justify and reinforce to the public their clichéd reality.

Conclusion

By topic and content Heinrich Böll's novel is not political in the specialized sense of dealing with high diplomacy, party politics or urban terrorism, as was sometimes foolishly suggested by hostile commentators. Its concern is political only in the wider sense of the word, to show (as do all Böll's literary works) how, where and in what form politics impinge on the individual. From the very beginning of his writing Böll dramatized the pressures in a society to which the individuals are subject. The characters in the centre of a story or a novel, while leading their daily lives, are nevertheless made exemplary and representative: not of the massive silent majority but of the more sensitive, those who experience more deeply and directly, the non-hypocrites in a world which is characterized by the opposite qualities. Böll's central figures are not drop-outs or non-conformists in any Brechtian sense, but ordinary people who try to be direct about their feelings and experiences. Through this they become the touch-stone for pressures which are exerted by everybody on everybody else, but which none of the others seem to mind or even to notice.

Repression is shown to come from a variety of sources and in many different forms. The agencies which are traditionally called on to protect the individual's rights are those which seem to interfere most with these rights: police and army, church and public media. However, Böll does not just give us a simple clash between institution and individual. His analysis is more subtle in showing how in behaviour and individual consciousness the policeman or soldier, priest or church-goer, journalist or newspaper reader hands down and accepts in turn patterns of domination and subordination. Prejudice and discrimination are seen to be weapons as potent as direct violence or intervention. By conforming to accepted standards which, though shared, are often implicit and therefore not questioned, almost every member in a society becomes in turn an agent of repression and suppression of those who do not altogether fit in. It is the rights of the latter that Böll is most concerned with, and it is their protest through passive suffering and/or active rebellion which move the reader into an understading of how precarious our personal liberties really are.

FOOTNOTES AND BIBLIOGRAPHY

[1] See Böll in his interview with Marcel Reich-Ranicki (1967): "Es ist offensichtlich, daß die Schriftsteller seit 1945 einen Einfluß auf die deutsche Politik ausgeübt haben. Vor allem haben sie in der Bundesrepublik außenpolitisch einen Kredit eingebracht, den diese gar nicht verdient." When asked why he was withdrawing from current politics at that time he said: "... weil ich nicht als etablierter Aufpasser, als Teil des 'guten Gewissens', als einer der 'funktionalisierten Schreihälse' vom Dienst, als willkommener Bösewicht, der immer wieder durch seine Existenz bestätigt, wie wunderbar frei wir sind, verschlissen werden möchte.", in: Heinrich Böll *Aufsätze, Kritiken, Reden*. Köln, Berlin: Kiepenheuer & Witsch 1967, p. 503.
[2] 'Wanderer kommst du nach Spa', in: Heinrich Böll, *Erzählungen*, Opladen: Middelhauve 1950.
[3] Heinrich Böll, 'Befehl und Verantwortung. Gedanken zum Eichmann Prozess' (1961), in: *Aufsätze, Kritiken, Reden*, p. 115.
[4] Heinrich Böll, 'Die Sprache als Hort der Freiheit' (1958), in: H. Böll, *Erzählungen, Hörspiele, Aufsätze*. Köln, Berlin: Kiepenheuer & Witsch 1961.
[5] 'Dr. Murkes gesammeltes Schweigen', in: H. Böll, *Dr. Murkes gesammeltes Schweigen und andere Satiren*. Köln, Berlin: Kiepenheuer & Witsch 1958.
[6] Horst Bienek, *Werkstattgespräche mit Schriftstellern*, dtv, Allgemeine Reihe 291, p. 49.
[7] See Heinrich Böll, 'Zur Verteidigung der Waschküchen' (1959), in: *Erzählungen, Hörspiele, Aufsätze*.
[8] Heinrich Böll, *Und sagte kein einziges Wort*, Köln, Berlin:

Kiepenheuer & Witsch 1953.

[9] *ibid.*, p. 101.

[10] Heinrich Böll, *Das Brot der frühen Jahre*, Köln, Berlin: Kiepenheuer & Witsch 1955.

[11] Heinrich Böll, 'Hierzulande', in: *Aufsätze, Kritiken, Reden*, pp. 429, 435.

[12] Heinrich Böll, 'In der Bundesrepublik leben?' (1963), in: *Aufsätze, Kritiken, Reden*, p. 132.

[13] Heinrich Böll, 'Deutsche Meisterschaft' (1969), in: H. Böll, *Neue politische und literarische Schriften*, Köln, Berlin: Kiepenheuer & Witsch 1973, p. 119.

[14] Heinrich Böll, 'Brief an einen jungen Nichtkatholiken' (1966), in: *Aufsätze, Kritiken, Reden*, pp. 233, 238–9.

[15] Heinrich Böll, 'Brief an einen jungen Katholiken' (1958), in: *Erzählungen, Hörspiele, Aufsätze*, p. 389.

[16] Heinrich Böll, *Im Gespräch: Böll mit Heinz Ludwig Arnnold*, München: Edition Text und Kritik 1971, p. 23.

[17] H. Böll, 'Brief an einen jungen Katholiken', pp. 393–395, *op. cit.*

[18] Heinrich Böll, *Ansichten eines Clowns*, Roman, Berlin, Köln: Kiepenheuer & Witsch 1963.

[19] H. Böll 'Brief an einen jungen Nichtkatholiken', *op. cit.*

[20] Heinrich Böll, *Ende einer Dienstfahrt*, Erzählung, Köln, Berlin: Kiepenheuer & Witsch 1966.

[21] H. Böll, 'Brief an einen jungen Nichtkatholiken', pp. 232–3, *op. cit.*

[22] Heinrich Böll, 'In der Bundesrepublik leben?' (1963), in: *Aufsätze, Kritiken, Reden*, p. 129.

[23] H. Böll, 'Brief an einen jungen Nichtkatholiken', p. 234, *op. cit.*

[24] Heinrich Böll, *Die Verlorene Ehre der Katharina Blum oder: Wie Gewalt entstehen und wohin sie führen kann*, Köln, Berlin: Kiepenheuer & Witsch 1974.

[25] Heinrich Böll, 'Will Ulrike Gnade oder freies Geleit', in *Spiegel*, 10.1.1972; printed in: F. Grützbach ed., *Freies Geleit für Ulrike Meinhof*, Kiepenheuer & Witsch, pocket 36, 1972.

[26] Rudi Dutschke died in December 1979, and it is not certain, whether the cause of his death is connected with the 1968 assassination attempt.

[27] Jillian Becker, *Hitler's Children; The Story of the Baader-Meinhof Gang*, Granada Publ. Ltd, Panther Books 1978.

[28] Obviously, since *Bande* is a derogatory word for criminal gangs, it was applied by people hostile to the claims of the

group, that it had a political status. The fight over which word to use occasionally reached absurd proportions, when people were branded as sympathizers or even half-terrorists themselves just for referring to the "Baader-Meinhof *Gruppe*".

[29] Bild headlines from the period between December 1971 and February 1972.

[30] The most notorious of these new measures became known under the term *Berufsverbot*, a code of practice whereby individuals have to prove their loyalty to the constitution before they can become civil servants. The interpretation of what precisely constitutes this loyalty or rather what made someone legalistically disloyal to it – into a *Verfassungsfeind* – varies considerably from one Federal State to another. It has resulted in extraordinary rejections and expulsions of teachers and academics, train-drivers and postmen from their place of work and professions. The SPD-governed states have gradually become embarrassed by the volume of internal complaint and external protest. In consequence they have recently abandoned some of the most crass applications of this *Erlaß*; whereas the CDU-states and especially the CSU-governed Bavaria are continuing this practice in a most blatant form. For reference and further information see: Peter Schneider's novel, *Und schon bist Du ein Verfassungsfeind*, Rotbuch Verlag Berlin, 1975.

Wolf-Dieter Narr, ed., *Wir Bürger als Sicherheitsrisiko*, rororo 4181, 1977.

[31] H. Böll, 'Will Ulrike Gnade oder freies Geleit', *op. cit.*

[32] F. Grützbach ed., *Freies Geleit für Ulrike Meinhof*, *op. cit.*

[33] Radio interview with H. Böll, 23.9.1976, Redaktie Kenmerk, Hilversum.

[34] Heinrich Böll, *The Lost Honour of Katharina Blum*, translated by Leila Vennewitz, Penguin books 1978, blurb on back cover.

[35] *ibid.*

[36] There are numerous examples for this: see for example chapter 3, 25, 39, 40, 41, 42 etc.

[37] For example phrases like "man sollte...", "es soll hier festgestellt werden", "es gilt als erwiesen", "es war hier versprochen worden" etc. The use of *indirekte Rede* is particularly interesting, since as one of its many peculiarities it detemporalizes events. In contrast to the English reported speech, which causes so few alterations from ordinary narration that it takes additional phrases to show its 'reported-

ness', the German *indirekte Rede* is a complete grammatical system with numerous changes to verb forms, pronouns, and time and place adverbs. Though it is possible in indirect speech to express the relationship in time between what happened and the actual reporting of it, it is not feasible to show the time sequence and relation within the reported event itself. Most drama and tension in language is carried by the verbs, which is why ordinary speech is so rich in tenses to express the sequence of time. When this is omitted through the deployment of indirect speech, its absence creates a curious detached, de-temporalized effect. It is therefore not surprising that our narrator uses it with particular frequency. Furthermore, indirect speech allows reporting without assessment, but has also many fine speech nuances available to express doubt or disbelief. This makes it a very subtle medium in the hand of a self-aware artist like Böll.

[38] Behind the narrator's timid aestheticism we can see Böll as in *Das Ende einer Dienstfahrt* mocking the pseudo involvement of modern art with reality.

[39] See ch. 8 and 17: Party at Blornas'; Mrs Blorna offers Katharina a party for her enjoyment, whereas K. never liked these occasions; also see: Else Woltersheim's account of K's confidence, without her being aware of the lonely life K. led.

[40] The cutting irony which the reader senses in these descriptions is not that of the narrator. As we will show, it is that of Böll, who directs the reader's response beyond the narrator's limited awareness.

[41] See for example ch. 5, where the narrator reports the statement of a carnival functionary, who uses words like "Vertrauen" and "Sakrileg" in connection with carnival. The irony does not escape the reader's notice, yet the narrator himself doesn't comment.

[42] Italics show Böll's emphasis, bold print indicates the editors' emphasis. For some of the many other examples see: ch. 1, 3, 7, 24, 25, 34, 37, 41, 42.

[43] Compare for example Mr Hiepertz' and Mr Blorna's statements about Katharina and the way this gets misquoted in the *Zeitung*, (ch. 22/23).

[44] A poignant example is the way Else Woltersheim gets treated by the police with suspicion because of what the *Zeitung* had 'found out' about her father: compare ch. 48 with ch. 55.

Still from the film *Die verlorene Ehre der Katharina Blum* directed by Volker Schlöndorff, West Germany, 1975. Katharina Blum is played by Angela Winkler.

Heinrich Böll :

Die verlorene Ehre
der Katharina Blum
oder: Wie Gewalt entstehen
und wohin sie führen kann

Erzählung

1

Für den folgenden Bericht gibt es einige Neben- und drei Hauptquellen, die hier am Anfang einmal genannt, dann aber nicht mehr erwähnt werden. Die Hauptquellen: Vernehmungsprotokolle der Polizeibehörde, Rechtsanwalt Dr. Hubert Blorna, sowie dessen Schul- und Studienfreund, der Staatsanwalt Peter Hach, der – vertraulich, versteht sich – die Vernehmungsprotokolle, gewisse Maßnahmen der Untersuchungsbehörde und Ergebnisse von Recherchen, soweit sie nicht in den Protokollen auftauchten, ergänzte; nicht, wie unbedingt hinzugefügt werden muß, zu offiziellem, lediglich zu privatem Gebrauch, da ihm der Kummer seines Freundes Blorna, der sich das alles nicht erklären konnte und es doch »wenn ich es recht bedenke, nicht unerklärlich, sogar fast logisch« fand, regelrecht zu Herzen ging. Da der Fall der Katharina Blum angesichts der Haltung der Angeklagten und der sehr schwierigen Position ihres Verteidigers Dr. Blorna ohnehin mehr oder weniger fiktiv bleiben wird, sind vielleicht gewisse kleine, sehr menschliche Unkorrektheiten, wie Hach sie beging, nicht nur verständlich, auch verzeihlich. Die Nebenquellen, einige von größerer, andere von geringerer Bedeutung, brauchen hier nicht erwähnt zu werden, da sich ihre Verstrickung, Verwicklung, Befaßtheit, Befangenheit, Betroffenheit und Aussage aus dem Bericht selbst ergeben.

2.

Wenn der Bericht – da hier so viel von Quellen geredet wird – hin und wieder als »fließend« empfunden wird, so wird dafür um Verzeihung gebeten: es war unvermeidlich. Angesichts von »Quellen« und »Fließen« kann man nicht von Komposition sprechen, so sollte man vielleicht statt dessen den Begriff der Zusammenführung (als Fremdwort dafür wird Konduktion vorgeschlagen) einführen, und dieser Begriff sollte jedem einleuchten, der je als Kind (oder gar Erwachsener) in, an und *mit* Pfützen gespielt hat, die er anzapfte, durch Kanäle miteinander verband, leerte, ablenkte, umlenkte, bis er schließlich das gesamte, ihm zur Verfügung stehende Pfützenwasserpotential in einem Sammelkanal *zusammenführte*, um es auf ein niedrigeres Niveau ab-, möglicherweise gar ordnungsgemäß oder ordentlich, regelrecht in eine behördlicherseits erstellte Abflußrinne oder in einen Kanal zu lenken. Es wird also nichts weiter vorgenommen als eine Art Dränage oder Trockenlegung. Ein ausgesprochener Ordnungsvorgang! Wenn also diese Erzählung stellenweise in Fluß kommt, wobei Niveauunterschiede und -ausgleiche eine Rolle spielen, so wird um Nachsicht gebeten, denn schließlich gibt es auch Stockungen, Stauungen, Versandungen, mißglückte Konduktionen und Quellen, die »zusammen nicht kommen können«, außerdem unterirdische Strömungen usw. usw.

3.

Die Tatsachen, die man vielleicht zunächst einmal darbieten sollte, sind brutal: am Mittwoch, dem 20. 2. 1974, am Vorabend von Weiberfastnacht, verläßt in einer Stadt eine junge

Frau von siebenundzwanzig Jahren abends gegen 18.45 Uhr ihre Wohnung, um an einem privaten Tanzvergnügen teilzunehmen.

Vier Tage später, nach einer – man muß es wirklich so ausdrücken (es wird hiermit auf die notwendigen Niveauunterschiede verwiesen, die den Fluß ermöglichen) – dramatischen Entwicklung, am Sonntagabend um fast die gleiche Zeit – genauer gesagt gegen 19.04 –, klingelt sie an der Wohnungstür des Kriminaloberkommissars Walter Moeding, der eben dabei ist, sich aus dienstlichen, nicht privaten Gründen als Scheich zu verkleiden, und gibt dem erschrockenen Moeding zu Protokoll, sie habe mittags gegen 12.15 in ihrer Wohnung den Journalisten Werner Tötges erschossen, er möge veranlassen, daß ihre Wohnungstür aufgebrochen und er dort »abgeholt« werde; sie selbst habe sich zwischen 12.15 und 19.00 Uhr in der Stadt umhergetrieben, um Reue zu finden, habe aber keine Reue gefunden; sie bitte außerdem um ihre Verhaftung, sie möchte gern dort sein, wo auch ihr »lieber Ludwig« sei.

Moeding, der die junge Person von verschiedenen Vernehmungen her kennt und eine gewisse Sympathie für sie empfindet, zweifelt nicht einen Augenblick lang an ihren Angaben, er bringt sie in seinem Privatwagen zum Polizeipräsidium, verständigt seinen Vorgesetzten Kriminalhauptkommissar Beizmenne, läßt die junge Frau in eine Zelle verbringen, trifft sich eine Viertelstunde später mit Beizmenne vor ihrer Wohnungstür, wo ein entsprechend ausgebildetes Kommando die Tür aufbricht und die Angaben der jungen Frau bestätigt findet.

Es soll hier nicht so viel von Blut gesprochen werden, denn nur *notwendige* Niveauunterschiede sollen als unvermeidlich gelten, und deshalb wird hiermit aufs Fernsehen und aufs Kino verwiesen, auf Grusi- und Musicals einschlägiger Art;

wenn hier etwas fließen soll, dann nicht Blut. Vielleicht sollte man lediglich auf gewisse Farbeffekte hinweisen: der erschossene Tötges trug ein improvisiertes Scheichkostüm, das aus einem schon recht verschlissenen Bettuch zurechtgeschnidert war, und jedermann weiß doch, was viel rotes Blut auf viel Weiß anrichten kann; da wird eine Pistole notwendigerweise fast zur Spritzpistole, und da es sich im Falle des Kostüms ja um *Leinwand* handelt, liegen hier moderne Malerei und Bühnenbild näher als Dränage. Gut. Das sind also die Fakten.

4.

Ob auch der Bildjournalist Adolf Schönner, den man erst am Aschermittwoch in einem Waldstück westlich der fröhlichen Stadt ebenfalls erschossen fand, ein Opfer der Blum gewesen war, galt eine Zeitlang als nicht unwahrscheinlich, später aber, als man eine gewisse chronologische Ordnung in den Ablauf gebracht hatte, als »erwiesen unzutreffend«. Ein Taxifahrer sagte später aus, er habe den ebenfalls als Scheich verkleideten Schönner mit einer als Andalusierin verkleideten jungen Frauensperson zu eben jenem Waldstück gefahren. Nun war aber Tötges schon am Sonntagmittag erschossen worden, Schönner aber erst am Dienstagmittag. Obwohl man bald herausfand, daß die Tatwaffe, die man neben Tötges fand, keinesfalls die Waffe sein konnte, mit der Schönner getötet worden war, blieb der Verdacht für einige Stunden auf der Blum ruhen, und zwar des Motivs wegen. Wenn sie schon Grund gehabt hatte, sich an Tötges zu rächen, so hatte sie mindestens soviel Grund gehabt, sich an Schönner zu rächen. Daß die Blum aber zwei Waffen besessen haben könnte, erschien den ermittelnden Behörden dann doch als sehr unwahrscheinlich. Die Blum war bei ihrer Bluttat mit einer kalten Klugheit zu Werke gegangen; als man sie später fragte, ob sie auch Schönner erschossen habe, gab sie eine ominöse, als Frage verkleidete Antwort: »Ja, warum eigentlich nicht den auch?« Dann aber verzichtete man darauf, sie auch des Mordes an Schönner zu verdächtigen, zumal Alibirecherchen sie fast eindeutig entlasteten. Keiner, der Katharina Blum kannte oder im Laufe der Untersuchung ihren Charakter kennenlernte, zweifelte daran, daß sie, falls sie ihn begangen hätte, den Mord an Schönner eindeutig zugegeben hätte. Der Taxifahrer, der das Pärchen zum Waldstück gefahren hatte (»Ich würde es ja eher als verwildertes Gebüsch bezeichnen«, sagte er), erkannte jedenfalls die Blum auf Fotos nicht. »Mein Gott«, sagte er, »diese hübschen braunhaarigen jungen Dinger zwischen 1,63 und 1,68 groß, schlank und zwischen 24 und 27 Jahre alt – davon laufen doch Karneval Hunderttausende hier herum.«

In der Wohnung des Schönner fand man keinerlei Spuren von der Blum, keinerlei Hinweis auf die Andalusierin. Kollegen und Bekannte des Schönner wußten nur, daß er am Dienstag gegen Mittag von einer Kneipe aus, in der sich Journalisten trafen, »mit irgendeiner Brumme abgehauen war«.

5.

Ein hoher Karnevalsfunktionär, Weinhändler und Sektvertreter, der sich rühmen konnte, den Humor wiederaufgebaut zu haben, zeigte sich erleichtert, daß beide Taten erst am Montag bzw. Mittwoch bekanntgeworden waren. »So was am Anfang der frohen Tage, und Stimmung und Geschäft sind hin. Wenn herauskommt, daß Verkleidungen zu kriminellen Taten mißbraucht werden, ist die Stimmung sofort hin und das Geschäft versaut. Das sind echte Sakrilege. Ausgelassenheit und Frohsinn brauchen Vertrauen, das ist ihre Basis.«

6.

Ziemlich merkwürdig verhielt sich die ZEITUNG, nachdem die beiden Morde an ihren Journalisten bekannt wurden. Irrsinnige Aufregung! Schlagzeilen. Titelblätter. Sonderausgaben. Todesanzeigen überdimensionalen Ausmaßes. Als ob – wenn schon auf der Welt geschossen wird – der Mord an einem Journalisten etwas Besonderes wäre, wichtiger etwa als der Mord an einem Bankdirektor, -angestellten oder -räuber.

Diese Tatsache der Über-Aufmerksamkeit der Presse muß hier vermerkt werden, weil nicht nur die ZEITUNG, auch andere Zeitungen tatsächlich den Mord an einem Journalisten als etwas besonders Schlimmes, Schreckliches, fast Feierliches, man könnte fast sagen wie einen Ritualmord behandelten. Es wurde sogar von »Opfer seines Berufes« gesprochen, und natürlich hielt die ZEITUNG selbst hartnäckig an der Version fest, auch Schönner wäre ein Opfer der Blum, und wenn man auch zugeben muß, daß Tötges wahrscheinlich nicht erschossen worden wäre, wäre er nicht Journalist geworden (sondern etwa Schuhmacher oder Bäcker), so hätte man doch herauszufinden versuchen sollen, ob man nicht besser von beruflich bedingtem Tod hätte sprechen müssen, denn es wird ja noch geklärt werden, warum eine so kluge und fast kühle Person wie die Blum den Mord nicht nur plante, auch ausführte und im entscheidenden, von ihr herbeigeführten Augenblick nicht nur zur Pistole griff, sondern diese auch in Tätigkeit setzte.

7.

Gehen wir von diesem äußerst niedrigen Niveau sofort wieder auf höhere Ebenen. Weg mit dem Blut. Vergessen sein soll die Aufregung der Presse. Die Wohnung der Katharina Blum ist inzwischen gesäubert, die unbrauchbar gewordenen Teppiche sind auf dem Abfall gelandet, die Möbel abgewischt und zurechtgerückt, das alles auf Kosten und Veranlassung von Dr. Blorna, der sich dazu durch seinen Freund Hach bevollmächtigen ließ, wenn auch noch lange nicht sicher ist, daß Blorna der Vermögensverwalter sein wird.

Immerhin hat diese Katharina Blum innerhalb von fünf Jahren in eine Eigentumswohnung im Wert von insgesamt einhunderttausend Mark sechzigtausend bar investiert, es gibt da also – wie ihr Bruder, der zur Zeit eine geringfügige Freiheitsstrafe abbüßt – es ausdrückte, was »Handfestes abzustauben«. Aber wer käme dann für die Zinsen und die Amortisation der restlichen vierzigtausend Mark auf, und wenn man auch eine nicht unerhebliche Wertsteigerung einkalkulieren muß. Es bleiben nicht nur Akt- auch Passiva.

Tötges immerhin ist längst beerdigt (mit einem unangemessenen Aufwand, wie manche Leute festgestellt haben). Schönners Tod und Beerdigung sind merkwürdigerweise nicht mit solcher Aufmachung und Aufmerksamkeit betrieben und bemerkt worden. Warum wohl? Weil er kein »Opfer seines Berufes« war, sondern wahrscheinlicher das Opfer eines Eifersuchtsdramas? Das Scheichkostüm ist in der Asservatenkammer, auch die Pistole (eine o8), über deren Herkunft nur Blorna Bescheid weiß, während Polizei und Staatsanwaltschaft sich vergeblich bemüht haben, dies herauszufinden.

8.

Die Recherchen über die Aktivitäten der Blum während der fraglichen vier Tage ließen sich für die ersten Tage gut an, stockten erst, als es den Sonntag zu erkunden galt.

Blorna selbst hatte Katharina Blum am Mittwochnachmittag zwei volle Wochenlöhne in Höhe von je 280 DM ausgezahlt, einen für die laufende Woche, den zweiten für die folgende Woche, da er selbst am Mittwochnachmittag mit seiner Frau in den Winterurlaub fuhr. Katharina hatte den Blornas nicht nur versprochen, sondern geradezu geschworen, daß sie endlich einmal Urlaub machen und sich über Karneval amüsieren wolle und nicht, wie in all den Jahren davor, ins Saisongeschäft gehen würde. Sie hatte den Blornas freudig mitgeteilt, daß sie für den Abend zu einem privaten kleinen Hausball bei ihrer Patentante, Freundin und Vertrauten Else Woltersheim eingeladen sei und sich sehr darauf freue, sie habe so lange keine Gelegenheit mehr gehabt, zu tanzen. Daraufhin habe Frau Dr. Blorna zu ihr gesagt: »Warte nur, Kathrinchen, wenn wir zurück sind, geben wir mal wieder 'ne Party, dann kannst du auch wieder tanzen.« Seitdem sie in der Stadt war, seit fünf oder sechs Jahren, hatte Katharina sich immer wieder über die nicht vorhandenen Möglichkeiten, »mal einfach irgendwo tanzen zu gehen«, beklagt. Da gab es, wie sie Blornas erzählte, diese Buden, in denen eigentlich nur verklemmte Studenten eine kostenlose Nutte suchen, dann gab es diese bohemeartigen Dinger, in denen es ihr ebenfalls zu wüst zuging, und konfessionelle Tanzveranstaltungen verabscheute sie geradezu.

Am Mittwochnachmittag hatte Katharina, wie sich leicht ermitteln ließ, noch zwei Stunden bei dem Ehepaar Hiepertz gearbeitet, wo sie gelegentlich und auf Anfrage aushalf. Da die Hiepertz ebenfalls die Stadt während der Karnevalstage verließen und zu ihrer Tochter nach Lemgo fuhren, hatte Katharina die beiden alten Herrschaften noch in ihrem Volkswagen zum Bahnhof gebracht. Trotz erheblicher Parkschwierigkeiten hatte sie darauf bestanden, sie auch noch auf den Bahnsteig zu bringen und ihr Gepäck zu tragen. (»Nicht ums Geld, nein, für solche Gefälligkeiten dürfen wir ihr gar nichts anbieten, das würde sie tief kränken«, erläuterte Frau Hiepertz.) Der Zug war nachweislich um 17.30 Uhr gefahren. Wenn man Katharina fünf bis zehn Minuten zubilligen wollte, um inmitten des beginnenden Karnevalsrummels ihren Wagen zu finden, weitere zwanzig oder gar fünfundzwanzig Minuten, um ihre außerhalb der Stadt in einem Wohnpark gelegene Wohnung zu erreichen, die sie also erst zwischen 18.00 und 18.15 Uhr betreten haben konnte, so blieb keine Minute ungedeckt, wenn man ihr gerechterweise zubilligen mochte, daß sie sich gewaschen, umgezogen, eine Kleinigkeit gegessen hatte, denn sie war schon gegen 19.25 Uhr bei Frau Woltersheim zur Party erschienen, nicht per Auto, sondern per Straßenbahn, und sie war weder als Beduinenfrau noch als Andalusierin verkleidet, sondern lediglich mit einer roten Nelke im Haar, in roten Strümpfen und Schuhen, in einer hochgeschlossenen Bluse aus honigfarbener Honanseide und einem gewöhnlichen Tweedrock von gleicher Farbe. Man mag es gleichgültig finden, ob Katharina mit ihrem Auto oder mit der Straßenbahn zur Party fuhr, es muß hier erwähnt werden, weil es im Laufe der Ermittlungen von erheblicher Bedeutung war.

9.

Von dem Augenblick an, da sie die Woltersheimsche Wohnung betrat, wurden die Ermittlungen erleichtert, weil Katharina von 19.25 Uhr an, ohne es zu ahnen, unter polizeilicher Beobachtung stand. Den ganzen Abend über, von 19.30 bis 22.00 Uhr, bevor sie mit diesem die Wohnung verließ, hatte sie »ausschließlich und innig«, wie sie selber später aussagte, mit einem gewissen Ludwig Götten getanzt.

10.

Man sollte hier nicht vergessen, dem Staatsanwalt Peter Hach Dankbarkeit zu zollen, denn ihm einzig und allein verdankt man die an justizinternen Klatsch grenzende Mitteilung, daß Kriminalkommissar Erwin Beizmenne von dem Augenblick an, da die Blum mit Götten die Wohnung der Woltersheim verließ, die Telefone der Woltersheim und der Blum abhören ließ. Das geschah auf eine Weise, die man vielleicht der Mitteilung für wert halten mag. Beizmenne rief in solchen Fällen den dafür zuständigen Vorgesetzten an und sagte zu diesem: »Ich brauche mal wieder meine Zäpfchen. Diesmal zwei.«

11.

Offenbar hat Götten von Katharinas Wohnung aus nicht telefoniert. Jedenfalls wußte Hach nichts davon. Sicher ist, daß die Wohnung von Katharina streng überwacht wurde, und als bis 10.30 Uhr am Donnerstagmorgen weder telefoniert worden war, noch Götten die Wohnung verlassen hatte, drang man, da Beizmenne die Geduld und auch die Nerven zu verlieren begann, mit acht schwerbewaffneten Polizeibeamten in die Wohnung ein, stürmte sie regelrecht unter strengsten Vorsichtsmaßregeln, durchsuchte sie, fand aber Götten nicht mehr, lediglich die »äußerst entspannt, fast glücklich wirkende« Katharina, die an ihrer Küchenanrichte stand, wo sie aus einem großen Becher Kaffee trank und in eine mit Butter und Honig bestrichene Scheibe Weißbrot biß. Sie machte sich insofern verdächtig, als sie nicht überrascht, sondern gelassen, »wenn nicht triumphierend« wirkte. Sie trug einen Bademantel aus grüner Baumwolle, der mit Margueriten bestickt war, war darunter unbekleidet, und als sie von Kommissar Beizmenne (»ziemlich barsch«, wie sie später erzählte) gefragt wurde, wo Götten geblieben sei, sagte sie, sie wisse nicht, wann Ludwig die Wohnung verlassen habe. Sie sei gegen 9.30 Uhr wach geworden, und da sei er schon weg gewesen. »Ohne Abschied?« »Ja.«

12.

An dieser Stelle sollte man etwas über eine höchst umstrittene Frage von Beizmenne erfahren, die Hach einmal zum besten gab, widerrief, dann noch einmal erzählte und zum zweitenmal widerrief. Blorna hält diese Frage für wichtig, weil er glaubt, daß, wenn sie wirklich gestellt worden sei, hier und nirgendwo anders der Beginn von Katharinas Verbitterung, Beschämung und Wut gelegen haben könnte. Da Blorna und seine Frau Katharina Blum als in sexuellen Dingen äußerst empfindlich, fast prüde schildern, muß die *Möglichkeit*, Beizmenne könnte – ebenfalls in höchster Wut über den entschwundenen Götten, den er sicher zu haben glaubte – die umstrittene Frage gestellt haben, hier erwogen werden. Beizmenne *soll* die aufreizend gelassen an ihrer Anrichte lehnende Katharina nämlich gefragt haben: »Hat er dich denn gefickt«, woraufhin Katharina sowohl rot geworden sein wie in stolzem Triumph gesagt haben soll: »Nein, ich würde es nicht so nennen.«

Man kann getrost annehmen, daß, *wenn* Beizmenne diese Frage gestellt hat, von diesem Augenblick an keinerlei Vertrauen mehr zwischen ihm und Katharina entstehen konnte. Die Tatsache, daß es tatsächlich nicht zu einem Vertrauensverhältnis zwischen den beiden kam – obwohl Beizmenne, der als »gar nicht so übel« gilt, es nachweislich versuchte –, sollte aber nicht als endgültiger Beweis dafür angesehen werden, daß er die ominöse Frage wirklich gestellt hat. Hach jedenfalls, der bei der Haussuchung zugegen war, gilt unter Bekannten und Freunden als »Sexklemmer«, und es wäre durchaus möglich, daß ihm selbst ein so grober Gedanke gekommen ist, als er die äußerst attraktive Blum da so nachlässig an ihrer Anrichte lehnen sah, und daß er diese Frage gern gestellt oder die so grob definierte Tätigkeit gern mit ihr ausgeübt hätte.

13.

Die Wohnung wurde anschließend gründlich durchsucht, es wurden einige Gegenstände beschlagnahmt, vor allem Schriftliches. Katharina Blum durfte sich im Badezimmer in Gegenwart der weiblichen Beamtin Pletzer anziehen. Doch durfte die Badezimmertür nicht ganz geschlossen werden; sie wurde von zwei bewaffneten Beamten schärfstens bewacht.

Es wurde Katharina gestattet, ihre Handtasche mitzunehmen, und da ihre Verhaftung nicht ausgeschlossen werden konnte, durfte sie Nachtzeug, einen Toilettenbeutel, Lektüre mitnehmen. Ihre Bibliothek bestand aus vier Liebesromanen, drei Kriminalromanen sowie aus einer Napoleonbiographie und einer Biographie der Königin Christina von Schweden. Sämtliche Bücher stammten aus einem Buchklub. Da sie dauernd fragte »Aber wieso, wieso denn, was habe ich denn verbrochen«, wurde ihr schließlich von der Kriminalbeamtin Pletzer in höflicher Form mitgeteilt, daß Ludwig Götten ein lange gesuchter Bandit sei, des Bankraubes fast überführt und des Mordes und anderer Verbrechen verdächtig.

14.

Als Katharina Blum endlich gegen 11.00 Uhr aus ihrer Wohnung fort und zur Vernehmung geführt wurde, verzichtete man letzten Endes doch darauf, ihr Handschellen anzulegen. Beizmenne neigte zwar dazu, auf Handschellen zu bestehen, ließ sich aber nach einem kurzen Dialog zwischen der Beamtin Pletzer und seinem Assistenten Moeding herbei, darauf zu verzichten. Da wegen der an diesem Tag beginnenden Weiberfastnacht zahlreiche Hausbewohner nicht zur Arbeit gegangen und noch nicht zu den alljährlich fälligen saturnalienartigen Umzügen, Festen etc. aufgebrochen waren, standen etwa drei Dutzend Bewohner des zehnstöckigen Appartementhauses in Mänteln, Morgenröcken und Bademänteln im Foyer, und der Pressefotograf Schönner stand wenige Schritte vor dem Aufzug, als Katharina Blum, zwischen Beizmenne und Moeding, von bewaffneten Polizeibeamten flankiert, den Aufzug verließ. Sie wurde von vorne, von hinten, von der Seite mehrmals fotografiert, zuletzt, da sie in ihrer Scham und Verwirrung mehrmals ihr Gesicht zu verdecken versuchte und dabei mit ihrer Handtasche, dem Toilettenbeutel und einer Plastiktüte, in der zwei Bücher und Schreibzeug waren, in Konflikt geriet, mit zerwühltem Haar und recht unfreundlichem Gesichtsausdruck.

15.

Eine halbe Stunde später, nachdem sie auf ihre Rechte hingewiesen worden und ihr Gelegenheit gegeben worden war, sich wieder etwas herzurichten, begann in Gegenwart von Beizmenne, Moeding, der Frau Pletzer sowie der Staatsanwälte Dr. Korten und Hach die Vernehmung, die protokolliert wurde: »Mein Name ist Katharina Brettloh, geb. Blum. Ich wurde am 2. März 1947 in Gemmelsbroich im Landkreis Kuir geboren. Mein Vater war der Bergarbeiter Peter Blum. Er starb, als ich sechs Jahre alt war, im Alter von siebenunddreißig Jahren an einer Lungenverletzung, die er im Krieg erlitten hatte. Mein Vater hatte nach dem Krieg wieder in einem Schieferbergwerk gearbeitet und war auch staublungenverdächtig. Meine Mutter hatte nach seinem Tode Schwierigkeiten mit der Rente, weil sich das Versorgungsamt und die Knappschaft nicht einigen konnten. Ich mußte schon sehr früh im Haushalt arbeiten, weil mein Vater häufig krank war und entsprechenden Verdienstausfall hatte und meine Mutter verschiedene Putzstellen annahm. In der Schule hatte ich keinerlei Schwierigkeiten, obwohl ich auch während der Schulzeit viel Hausarbeit machen mußte, nicht nur zu Hause, auch bei Nachbarn und anderen Dorfbewohnern, wo ich beim Backen, Kochen, Einmachen, Schlachten zur Hand

ging. Ich tat auch viel Hausarbeit und half bei der Ernte. Mit
Hilfe meiner Patentante, Frau Else Woltersheim aus Kuir,
bekam ich nach der Schulentlassung im Jahre 1961 eine Stelle
als Hausgehilfin in der Metzgerei Gerbers in Kuir, wo ich
auch beim Verkaufen gelegentlich aushelfen mußte. Von 1962
bis 1965 besuchte ich mit Hilfe und durch finanzielle Unter-
stützung meiner Patentante Frau Woltersheim, die dort als
Ausbilderin tätig war, eine Hauswirtschaftsschule in Kuir,
die ich mit sehr gut absolvierte. Von 1966 bis 1967 arbeitete
ich als Wirtschafterin im Ganztagskindergarten der Firma
Koeschler im benachbarten Oftersbroich, bekam dann eine
Stelle als Hausgehilfin bei dem Arzt Dr. Kluthen, ebenfalls in
Oftersbroich, wo ich nur ein Jahr verblieb, weil Herr Doktor
immer häufiger zudringlich wurde und Frau Doktor das nicht
leiden mochte. Auch ich mochte diese Zudringlichkeiten
nicht. Mir war das widerwärtig. Im Jahre 1968, als ich für
einige Wochen stellenlos war und im Haushalt meiner Mutter
aushalf und gelegentlich bei den Versammlungen und Kegel-
abenden des Trommlerkorps Gemmelsbroich aushalf, lernte
ich durch meinen älteren Bruder Kurt Blum den Textilarbeiter Wilhelm Brettloh kennen, den ich wenige Monate später
heiratete. Wir wohnten in Gemmelsbroich, wo ich gelegentlich an den Wochenenden bei starkem Ausflüglerverkehr in
der Gastwirtschaft Kloog in der Küche aushalf, manchmal
auch als Serviererin. Schon nach einem halben Jahr empfand
ich unüberwindliche Abneigung gegen meinen Mann. Näheres möchte ich dazu nicht aussagen. Ich verließ meinen Mann
und zog in die Stadt. Ich wurde schuldig geschieden wegen
böswilligen Verlassens und nahm meinen Mädchennamen
wieder an. Ich wohnte zunächst bei Frau Woltersheim, bis ich
nach einigen Wochen eine Stelle als Wirtschafterin und Hausgehilfin im Hause des Wirtschaftsprüfers Dr. Fehnern fand,
wo ich auch wohnte. Herr Dr. Fehnern ermöglichte es mir,

Abend- und Weiterbildungskurse zu besuchen und eine Fachprüfung als staatlich geprüfte Wirtschafterin abzulegen. Er war sehr nett und sehr großzügig, und ich blieb auch bei ihm, nachdem ich die Prüfung abgelegt hatte. Ende des Jahres 1969 wurde Herr Dr. Fehnern im Zusammenhang mit erheblichen Steuerhinterziehungen, die bei großen Firmen, für die er arbeitete, festgestellt worden waren, verhaftet. Bevor er abgeführt wurde, gab er mir einen Briefumschlag mit drei Monatsgehältern und bat mich, auch weiterhin nach dem Rechten zu sehen, er käme bald wieder, sagte er. Ich blieb noch einen Monat, versorgte seine Angestellten, die unter der Aufsicht von Steuerbeamten in seinem Büro arbeiteten, hielt das Haus sauber und den Garten in Ordnung, kümmerte mich auch um die Wäsche. Ich brachte Herrn Dr. Fehnern immer frische Wäsche ins Untersuchungsgefängnis, auch zu essen, besonders Ardennenpastete, die ich beim Metzger Gerbers in Kuir herzustellen gelernt hatte. Später wurde die Praxis geschlossen, das Haus beschlagnahmt, ich mußte mein Zimmer räumen. Herrn Dr. Fehnern hatte man anscheinend auch Unterschlagung und Fälschung nachgewiesen, und er kam richtig ins Gefängnis, wo ich ihn auch weiterhin besuchte. Ich wollte ihm auch die zwei Monatsgehälter zurückgeben, die ich ihm noch schuldete. Er verbat sich das regelrecht. Ich fand sehr rasch eine Stelle bei dem Ehepaar Dr. Blorna, die ich durch Herrn Fehnern kennengelernt hatte.

Blornas bewohnen einen Bungalow in der Parksiedlung Südstadt. Obwohl mir dort Wohnung geboten wurde, lehnte ich ab, ich wollte endlich unabhängig sein und meinen Beruf mehr freiberuflich ausüben. Das Ehepaar Blorna war sehr gütig zu mir. Frau Dr. Blorna verhalf mir – sie arbeitet in einem großen Architekturbüro – zu meiner Eigentumswohnung in der Satellitenstadt im Süden, die unter dem Motto ›Elegant am Strom wohnen‹ angezeigt wurde. Herr Dr.

Blorna war in seiner Eigenschaft als Industrieanwalt, Frau Dr. Blorna in ihrer Eigenschaft als Architektin mit dem Projekt vertraut. Ich berechnete mit Herrn Dr. Blorna die Finanzierung, Verzinsung und Amortisation eines Zwei-Zimmer-Küche-Bad-Appartements im 8. Stock, und da ich inzwischen Ersparnisse in Höhe von 7000 DM hatte zurücklegen können, und das Ehepaar Blorna für einen Kredit in Höhe von 30000 DM bürgte, konnte ich schon Anfang 1970 in meine Wohnung einziehen. Meine monatliche Mindestbelastung betrug zu Beginn etwa 1100 DM, da aber das Ehepaar Blorna meine Verpflegung nicht berechnete, Frau Blorna mir sogar noch jeden Tag etwas zum Essen und Trinken zusteckte, konnte ich sehr sparsam leben und meinen Kredit rascher amortisieren, als anfänglich berechnet war. Ich führe seit vier Jahren die Wirtschaft und den Haushalt dort selbständig, meine Arbeitszeit beginnt um sieben Uhr morgens und endet nachmittags gegen sechzehn Uhr dreißig, wenn ich mit den Haus- und Reinigungsarbeiten, dem Einkaufen, den Vorbereitungen für das Abendessen fertig bin. Ich besorge auch die gesamte Wäsche des Haushalts. Zwischen sechzehn Uhr dreißig und siebzehn Uhr dreißig kümmere ich mich um meinen eigenen Haushalt und arbeite dann gewöhnlich noch eineinhalb bis zwei Stunden bei dem Rentnerehepaar Hiepertz. Samstags- und Sonntagsarbeit bekomme ich bei beiden gesondert bezahlt. In meiner freien Zeit arbeite ich gelegentlich beim Traiteur Kloft, oder ich helfe bei Empfängen, Parties, Hochzeiten, Gesellschaften, Bällen, meistens als frei angeworbene Wirtschafterin auf Pauschale und eigenes Risiko, manchmal auch im Auftrag der Firma Kloft. Ich arbeite in der Kalkulation, der organisatorischen Planung, gelegentlich auch als Köchin oder Serviererin. Meine Bruttoeinnahmen betragen im Durchschnitt 1800 bis 2300 Mark im Monat. Dem Finanzamt gegenüber gelte ich als freiberuflich. Ich

zahle meine Steuern und Versicherungen selbst. Alle diese
Dinge ... Steuererklärung etc. werden kostenlos für mich
durch das Büro Blorna erledigt. Seit dem Frühjahr 1972 besitze ich einen Volkswagen, Baujahr 1968, den mir der bei der
Firma Kloft beschäftigte Koch Werner Klormer günstig
überließ. Es wurde für mich zu schwierig, die verschiedenen
und auch wechselnden Arbeitsplätze mit den öffentlichen
Verkehrsmitteln zu erreichen. Mit dem Auto wurde ich auch
beweglich genug, auf Empfängen und bei Festlichkeiten mit-
zuarbeiten, die in weiter entfernt liegenden Hotels abgehalten
wurden.«

16.

Es dauerte von 11.30 bis 12.30 Uhr, und nach einer Unterbre-
chung von einer Stunde, von 13.30 bis 17.45 Uhr, bevor dieser
Teil der Vernehmung abgeschlossen war. In der Mittagspause
weigerte sich die Blum, Kaffee und Käsebrote von der Poli-
zeiverwaltung anzunehmen, und auch das intensive Zureden
der ihr offensichtlich wohlwollenden Frau Pletzer und des
Assistenten Moeding konnten an ihrer Haltung nichts än-
dern. Es war ihr – wie Hach erzählte – offenbar unmöglich,
das Dienstliche vom Privaten zu trennen, die Notwendigkeit
der Vernehmung einzusehen. Als Beizmenne, der sich Kaffee
und Brote schmecken ließ und mit geöffnetem Kragen und
gelockerter Krawatte nicht nur väterlich wirkte, sondern
wirklich väterlich wurde, bestand die Blum darauf, in ihre
Zelle verbracht zu werden. Die beiden Polizeibeamten, die zu
ihrer Bewachung abkommandiert waren, bemühten sich
nachweislich, ihr Kaffee und Brote anzubieten, aber sie schüttelte hartnäckig den Kopf, saß auf ihrer Pritsche, rauchte eine

Zigarette und äußerte durch Naserümpfen und Ekel bezeugendes Mienenspiel ihren Abscheu vor der noch mit Resten von Erbrochenem bekleckerten Toilette in der Zelle. Später gestattete sie Frau Pletzer, nachdem diese und die beiden jungen Beamten ihr zugeredet hatten, ihr den Puls zu fühlen, als der Puls sich als normal erwies, ließ sie sich dann auch herab, sich aus einem nahe gelegenen Café ein Stück Sandkuchen und eine Tasse Tee holen zu lassen, bestand aber darauf, das aus eigener Tasche zu bezahlen, obwohl einer der jungen Beamten, der am Morgen ihre Badezimmertüre bewacht hatte, während sie sich anzog, bereit war, ihr »einen auszugeben«. Das Urteil der beiden Polizeibeamten und der Frau Pletzer über diese Episode mit Katharina Blum: humorlos.

17.

Zwischen 13.30 und 17.45 Uhr wurde die Vernehmung zur Person fortgesetzt, die Beizmenne gern kürzer gehabt hätte, die Blum aber bestand auf Ausführlichkeit, die ihr von den beiden Staatsanwälten zugestanden wurde, schließlich war auch Beizmenne – erst widerwillig, später einsichtigerweise wegen des gelieferten Hintergrundes, der ihm wichtig erschien – mit der Ausführlichkeit einverstanden.

Gegen 17.45 erhob sich nun die Frage, ob man die Vernehmung fortsetzen oder unterbrechen, ob man die Blum freilassen oder in eine Zelle verbringen solle. Sie hatte sich gegen 17.00 tatsächlich herbeigelassen, noch ein Kännchen Tee zu akzeptieren und ein belegtes Brötchen (Schinken) zu verzehren, und erklärte sich damit einverstanden, die Vernehmung fortzusetzen, da ihr Beizmenne nach Abschluß derselben Freilassung versprach. Es kam nun ihr Verhältnis zu Frau

Woltersheim zur Sprache. Sie sei, sagte Katharina Blum, ihre Patentante, habe sich immer schon um sie gekümmert, sei eine entfernte Kusine ihrer Mutter; sie habe, als sie in die Stadt zog, sofort Kontakt mit ihr aufgenommen.

»Am 20. 2. war ich zu diesem Hausball eingeladen, der eigentlich am 21. 2., an Weiberfastnacht, hatte stattfinden sollen, dann aber vorverlegt wurde, weil Frau Woltersheim für Weiberfastnacht berufliche Verpflichtungen übernommen hatte. Es war das erste Tanzvergnügen, an dem ich seit vier Jahren teilnahm. Ich korrigiere meine Aussage dahingehend: verschiedentlich, vielleicht zwei-, drei-, möglicherweise viermal habe ich bei Blornas mitgetanzt, wenn ich dort abends bei Gesellschaften aushalf. Zu vorgerückter Stunde, wenn ich mit Aufräumen und Abwaschen fertig war, wenn der Kaffee serviert war und Dr. Blorna die Bar übernommen hatte, holte man mich in den Salon, und ich tanzte dort mit Herrn Dr. Blorna und auch mit anderen Herren aus Akademiker-, Wirtschafts- und Politikerkreisen. Später bin ich nur noch sehr ungern oder zögernd, dann gar nicht mehr diesen Aufforderungen gefolgt, es kam, da die Herren oft angetrunken waren, auch dort zu Zudringlichkeiten. Genauer gesagt: seitdem ich mein eigenes Auto besaß, habe ich diese Aufforderungen abgelehnt. Vorher war ich davon abhängig, daß einer der Herren mich nach Hause brachte. Auch mit diesem Herrn dort« – – sie zeigte auf Hach, der tatsächlich errötete, »habe ich gelegentlich getanzt.« Die Frage, ob auch Hach zudringlich geworden sei, wurde nicht gestellt.

18.

Die Dauer der Vernehmungen ließ sich daraus erklären, daß Katharina Blum mit erstaunlicher Pedanterie jede einzelne

Formulierung kontrollierte, sich jeden Satz, so wie er ins Protokoll aufgenommen wurde, vorlesen ließ. Z. B. die im letzten Abschnitt erwähnten Zudringlichkeiten waren erst als Zärtlichkeiten ins Protokoll eingegangen bzw. zunächst in der Fassung, »daß die Herren zärtlich wurden«; wogegen sich Katharina Blum empörte und energisch wehrte. Es kam zu regelrechten Definitionskontroversen zwischen ihr und den Staatsanwälten, ihr und Beizmenne, weil Katharina behauptete, Zärtlichkeit sei eben eine beiderseitige und Zudringlichkeit eine einseitige Handlung, und um letztere habe es sich immer gehandelt. Als die Herren fanden, das sei doch alles nicht so wichtig und sie sei schuld, wenn die Vernehmung länger dauere, als üblich sei, sagte sie, sie würde kein Protokoll unterschreiben, in dem statt Zudringlichkeiten Zärtlichkeiten stehe. Der Unterschied sei für sie von entscheidender Bedeutung, und einer der Gründe, warum sie sich von ihrem Mann getrennt habe, hänge damit zusammen; der sei eben nie zärtlich, sondern immer zudringlich gewesen.

Ähnliche Kontroversen hatte es um das Wort »gütig«, auf das Ehepaar Blorna angewandt, gegeben. Im Protokoll stand »nett zu mir«, die Blum bestand auf dem Wort gütig, und als ihr statt dessen gar das Wort gutmütig vorgeschlagen wurde, weil gütig so altmodisch klinge, war sie empört und behauptete, Nettigkeit und Gutmütigkeit hätten mit Güte nichts zu tun, als letzteres habe sie die Haltung der Blornas ihr gegenüber empfunden.

19.

Inzwischen waren die Hausbewohner vernommen worden, von denen der größere Teil wenig oder gar nichts über Katharina Blum aussagen konnte; man habe sie gelegentlich im Aufzug getroffen, sich gegrüßt, wisse, daß ihr der rote Volkswagen gehöre, man habe sie für eine Chefsekretärin gehalten, andere für eine Abteilungsleiterin in einem Warenhaus; sie sei immer adrett, freundlich, wenn auch kühl gewesen. Von den Bewohnern der fünf Appartements im achten Stock, in dem Katharinas Wohnung lag, konnten nur zwei Näheres mitteilen. Die eine war die Inhaberin eines Frisiersalons, Frau Schmill, der andere war ein pensionierter Beamter vom Elektrizitätswerk namens Ruhwiedel, und das Verblüffende war die beiden Aussagen gemeinsame Behauptung, Katharina habe hin und wieder Herrenbesuch empfangen oder mitgebracht. Frau Schmill behauptete, der Besuch sei regelmäßig gekommen, so alle zwei, drei Wochen, und es sei ein etwa vierzigjähriger, sehr elastisch wirkender Herr aus »offensichtlich besseren« Kreisen gewesen, während Herr Ruhwiedel den Besucher als ziemlich jungen Schlacks bezeichnete, der einige Male allein, einige Male mit Fräulein Blum gemeinsam deren Wohnung betreten habe. Und zwar innerhalb der vergangenen zwei Jahre etwa acht- bis neunmal, »und das sind nur die Besuche, die ich beobachtet habe – über die, die ich nicht beobachtet habe, kann ich natürlich nichts sagen«.

Als Katharina am späten Nachmittag mit diesen Aussagen konfrontiert und aufgefordert wurde, dazu Stellung zu nehmen, war es Hach, der ihr, noch bevor er die Frage formulierte, entgegenzukommen versuchte und ihr nahelegte, ob diese Herrenbesuche etwa die Herren gewesen wären, die sie gelegentlich nach Hause gebracht hätten. Katharina, die über und über rot geworden war, aus Scham und aus Ärger, fragte spitz zurück, ob es etwa verboten sei, Herrenbesuche zu empfangen, und da sie die aus Freundlichkeit von ihm gebaute Brücke nicht betreten wollte oder gar nicht als solche erkannte, wurde auch Hach etwas spitzer und sagte, sie müsse sich klar darüber werden, daß man hier einen sehr ernsten Fall untersuche, nämlich den Fall Ludwig Götten, der weitverzweigt sei und Polizei und Staatsanwaltschaften schon über ein Jahr beschäftige, und er frage sie hiermit, ob es sich bei dem Herrenbesuch, den sie offenbar nicht ableugne, immer um ein und denselben Herrn gehandelt habe. Und hier nun griff Beizmenne brutal zu und sagte »Sie kennen den Götten also schon zwei Jahre«.

Über diese Feststellung war Katharina so verblüfft, daß sie keine Antwort fand, Beizmenne nur kopfschüttelnd anblickte, und als sie dann ein erstaunlich mildes »Aber nein, nein, ich habe ihn erst gestern kennengelernt« herausstotterte, wirkte das nicht sehr überzeugend. Da sie nun aufgefordert wurde, den Herrenbesuch zu identifizieren, schüttelte sie »fast entsetzt« den Kopf und verweigerte darüber die Aussage. Nun wurde Beizmenne wieder väterlich und redete ihr zu, sagte, es sei doch gar nichts Schlimmes, wenn sie einen Freund habe, der – und hier machte er einen entscheidenden psychologischen Fehler – nicht zudringlich, sondern vielleicht zärtlich zu ihr gewesen sei; sie sei ja geschieden und nicht mehr zur Treue verpflichtet, und es sei nicht einmal – der dritte entscheidende Fehler! – verwerflich, wenn da möglicherweise bei unzudringlichen Zärtlichkeiten gewisse materielle Vorteile heraussprängen. Und damit war Katharina Blum endgültig verbockt. Sie verweigerte weiterhin die Aussage und bestand darauf, in eine Zelle oder nach Hause verbracht zu werden. Zur Verblüffung aller Anwesenden erklärte Beizmenne, milde und müde – es war inzwischen 20.40 Uhr geworden –, er lasse sie durch einen Beamten nach Hause bringen. Dann aber, als sie schon aufgestanden war und ihre Handtasche, den Toilettenbeutel und die Plastiktüte zusammenraffte, fragte er sie ganz plötzlich und hart: »Wie ist er bloß diese Nacht aus dem Haus herausgekommen, Ihr zärtlicher Ludwig? Alle Eingänge, alle Ausgänge waren bewacht – Sie, Sie müssen einen Weg gewußt und ihn ihm gezeigt haben, und ich werde es herausbekommen. Auf Wiedersehen.«

20.

Moeding, Beizmennes Assistent, der Katharina nach Hause fuhr, berichtete später, er sei über den Zustand der jungen Frau sehr beunruhigt und fürchte, daß sie sich etwas antun könne; sie sei völlig zerschmettert, fix und fertig, und habe überraschenderweise ausgerechnet in diesem Zustand Humor gezeigt oder erst entwickelt. Als er mit ihr durch die Stadt gefahren sei, habe er sie scherzhaft gefragt, ob es nicht doch nett wäre, wenn man jetzt unbefangen und ohne Hintergedanken irgendwo einen trinken und zusammen tanzen gehen könne, und sie habe genickt und gesagt, das wäre nicht übel, vielleicht sogar nett, und später vor ihrem Haus, als er ihr angeboten habe, sie nach oben bis vor ihre Türe zu bringen, habe sie sarkastisch gesagt »Ach, besser nicht, ich habe Herrenbesuch genug, wie Sie wissen – aber trotzdem danke.«

Moeding versuchte den ganzen Abend und die halbe Nacht über, Beizmenne davon zu überzeugen, daß man Katharina Blum inhaftieren müsse, zu ihrem eigenen Schutz, und als Beizmenne ihn fragte, ob er etwa verliebt sei, sagte er, nein, er habe sie nur gern, und sie sei gleichaltrig mit ihm, und er glaube nicht an Beizmennes Theorie von einer großen Verschwörung, in die Katharina verwickelt sei.

Was er nicht berichtete und was doch durch Frau Woltersheim Blorna bekannt wurde, waren die beiden Ratschläge, die er Katharina gab, die er immerhin durchs Foyer bis an den Aufzug begleitete, ziemlich heikle Ratschläge, die ihn hätten teuer zu stehen kommen können, und außerdem für ihn und seine Kollegen lebensgefährlich; er sagte nämlich zu Katharina, als sie vor dem Aufzug standen: »Lassen Sie die Finger vom Telefon und schlagen Sie morgen keine Zeitung auf«, wobei nicht klar war, ob er die ZEITUNG meinte oder Zeitungen schlechthin.

21.

Es war etwa gegen 15.30 Uhr des nämlichen Tages (Donnerstag, dem 21. 2. 74), als Blorna sich in seinem Urlaubsort zum erstenmal die Skier anschnallte und zu einer längeren Wanderung aufbrechen wollte. Von diesem Augenblick an war sein Urlaub, auf den er sich so lange gefreut hatte, vermasselt. Schön gewesen war der lange Abendspaziergang am Abend vorher, kurz nach der Ankunft, mit Trude zwei Stunden lang durch den Schnee, dann die Flasche Wein am brennenden Kamin und der tiefe Schlaf bei offenem Fenster; das erste Frühstück im Urlaub, lang hinausgezogen, und noch einmal für ein paar Stunden dick eingewickelt auf der Terrasse im Korbstuhl, und dann eben, genau in dem Augenblick, als er loswandern wollte, war dieser Kerl von der ZEITUNG aufgetaucht und hatte ihn, ohne jede Vorbereitung, auf Katharina angequatscht. Ob er sie eines Verbrechens für fähig halte? »Wieso«, sagte er, »ich bin Anwalt und ich weiß, wer alles eines Verbrechens fähig ist. Welches Verbrechen denn? Katharina? Undenkbar, wie kommen Sie darauf? Woher wissen Sie?« Als er schließlich erfuhr, daß ein lange gesuchter Bandit nachweislich bei Katharina übernachtet habe und sie seit ungefähr 11 Uhr früh streng vernommen werde, hatte er vorgehabt, sofort zurückzufliegen und ihr beizustehen, aber der Kerl von der ZEITUNG – sah er wirklich so schmierig aus, oder fand er das erst später? – sagte, so schlimm sei es nun wieder nicht, und ob er ihm nicht ein paar Charaktereigenschaften nennen könne. Und als er sich weigerte, meinte der Kerl, das sei aber ein schlechtes Zeichen und könne bös mißdeutet werden, denn Schweigen über ihren Charakter sei in einem solchen Fall, und es handele sich um eine »front-page-story«, eindeutig ein Hinweis auf einen schlechten Charakter, und schon wütend und sehr gereizt sagte Blorna: »Katharina ist eine sehr kluge und kühle Person« und ärgerte sich, weil auch das nicht stimmte und nicht andeutungsweise ausdrückte, was er hatte sagen wollen und hätte sagen müssen. Er hatte noch nie mit Zeitungen und schon gar nicht mit der ZEITUNG zu tun gehabt, und als der Kerl in seinem Porsche wieder abfuhr, schnallte Blorna die Skier wieder ab und wußte, daß der Urlaub hinüber war. Er ging zu Trude hinauf, die in Decken gehüllt wohlig, halb schlafend auf dem Balkon in der Sonne lag. Er erzählte es ihr. »Ruf doch mal an«, sagte sie, und er versuchte anzurufen, dreimal, viermal, fünfmal, aber er bekam immer die Auskunft »Teilnehmer meldet sich nicht«. Er versuchte gegen elf abends noch einmal anzurufen, aber wieder meldete sich niemand. Er trank viel und schlief schlecht.

22.

Als er Freitag früh gegen halb zehn mürrisch zum Frühstück erschien, hielt Trude ihm schon die ZEITUNG entgegen. Katharina auf der Titelseite. Riesenfoto, Riesenlettern. *RÄUBERLIEBCHEN KATHARINA BLUM VERWEIGERT AUSSAGE ÜBER HERRENBESUCHE. Der seit einein-*

halb Jahren gesuchte Bandit und Mörder Ludwig Götten
hätte gestern verhaftet werden können, hätte nicht seine Ge-
liebte, die Hausangestellte Katharina Blum, seine Spuren ver-
wischt und seine Flucht gedeckt. Die Polizei vermutet, daß die
Blum schon seit längerer Zeit in die Verschwörung verwickelt
ist. (Weiteres siehe auf der Rückseite unter dem Titel: HER-
RENBESUCHE.)

Dort auf der Rückseite las er dann, daß die ZEITUNG aus
seiner Äußerung, Katharina sei klug und kühl, »eiskalt und
berechnend« gemacht hatte und aus seiner generellen Äußerung über Kriminalität, daß sie »durchaus eines Verbrechens
fähig sei«.

Der Pfarrer von Gemmelbroich hatte ausgesagt: »Der
traue ich alles zu. Der Vater war ein verkappter Kommunist
und ihre Mutter, die ich aus Barmherzigkeit eine Zeitlang als
Putzhilfe beschäftigte, hat Meßwein gestohlen und in der
Sakristei mit ihren Liebhabern Orgien gefeiert.«

»Die Blum erhielt seit zwei Jahren regelmäßig Herrenbe-
such. War ihre Wohnung ein Konspirationszentrum, ein Ban-
dentreff, ein Waffenumschlagplatz? Wie kam die erst sieben-
undzwanzigjährige Hausangestellte an eine Eigentumswoh-
nung im Werte von schätzungsweise 110000 Mark? War sie an
der Beute aus den Bankrauben beteiligt? Polizei ermittelt
weiter. Staatsanwaltschaft arbeitet auf Hochtouren. Morgen
mehr. DIE ZEITUNG BLEIBT WIE IMMER AM BALL!
Sämtliche Hintergrundinformationen in der morgigen Wo-
chenendausgabe.«

Am Nachmittag auf dem Flugplatz rekonstruierte Blorna,
was dann kurz hintereinander geschehen war.

10.25 Anruf des sehr aufgeregten Lüding, der mich be-
schwor, sofort zurückzukommen und mit dem ebenfalls sehr
aufgeregten Alois in Verbindung zu treten. Alois, angeblich
total aufgelöst – was ich bei ihm noch nie erlebt habe, mir

deshalb unwahrscheinlich vorkommt –, zur Zeit auf einer Tagung für christliche Unternehmer in Bad Bedelig, wo er das Hauptreferat halten und die Grundsatzdiskussion leiten muß.

10.40 Anruf von Katharina, die mich fragte, ob ich das wirklich so gesagt hätte, wie es in der ZEITUNG stand. Froh darüber, sie aufklären zu können, erklärte ich ihr den Zusammenhang, und sie sagte (aus dem Gedächtnis protokolliert) etwa folgendes: »Ich glaub's Ihnen, ich glaub's, ich weiß ja jetzt, wie diese Schweine arbeiten. Heute morgen haben sie sogar meine schwerkranke Mutter, Brettloh und andere Leute aufgestöbert.« Als ich sie fragte, wo sie sei, sagte sie »Bei Else, und jetzt muß ich wieder zur Vernehmung«.

11.00 Anruf von Alois, den ich wirklich zum erstenmal im Leben – und ich kenne ihn seit 20 Jahren – aufgeregt und in Angst sah. Sagte, ich müsse sofort zurückkommen, um ihn als Mandanten in einer sehr heiklen Sache zu übernehmen. Er müsse jetzt sein Referat halten, dann mit den Unternehmern essen, später die Diskussion leiten und abends an einem zwanglosen Beisammensein teilnehmen, könne aber so zwischen $7^1/_2$ und $9^1/_2$ bei uns zu Hause sein, später dann noch zu dem zwanglosen Beisammensein stoßen.

11.30 Trude findet auch, daß wir sofort abreisen und Katharina beistehen müssen. Wie ich ihrem ironischen Lächeln entnehme, hat sie bereits eine (wahrscheinlich, wie immer) zutreffende Theorie über Alois' Schwierigkeiten.

12.15 Buchungen erledigt, gepackt, Rechnung bezahlt. Nach knapp 40stündigem Urlaub im Taxi nach I. Dort auf dem Flugplatz 14.00 bis 15.00 Uhr im Nebel gewartet. Langes Gespräch mit Trude über Katharina, an der ich, wie Trude weiß, sehr, sehr hänge. Sprachen auch darüber, wie wir Katharina ermuntert hatten, nicht so zimperlich zu sein, ihre unglückselige Kindheit und die vermurkste Ehe zu vergessen.

Wie wir versucht haben, ihren Stolz, wenn es um Geld geht, zu überwinden und ihr von unserem eigenen Konto einen billigeren Kredit als den der Bank zu geben. Selbst die Erklärung und die Einsicht, daß sie uns, wenn sie uns statt der 14%, die sie zahlen muß, 9% gibt, nicht einmal einen Verlust bereitet, sie aber viel Geld spart, hatte sie nicht überzeugt. Wie wir Katharina zu Dank verpflichtet sind: seit sie ruhig und freundlich, auch planvoll unseren Haushalt leitet, sind nicht nur unsere Unkosten erheblich gesunken, sie hat uns auch beide für unsere berufliche Arbeit so frei gemacht, daß wir es kaum in Geld ausdrücken können. Sie hat uns von dem fünfjährigen Chaos befreit, das unsere Ehe und unsere berufliche Arbeit so belastet hat.

Entschließen uns gegen 16.30 Uhr, da der Nebel sich nicht zu lichten scheint, doch mit dem Zug zu fahren. Auf Rat von Trude rufe ich Alois Sträubleder *nicht* an. Taxi zum Bahnhof, wo wir den 17.45 nach Frankfurt noch erwischen. Elende Fahrt – Übelkeit, Nervosität. Sogar Trude ernst und erregt. Sie wittert großes Unheil. Total erschöpft dann doch in München umgestiegen, wo wir einen Schlafwagen erwischten. Erwarten beide Kummer mit und um Katharina, Ärger mit Lüding und Sträubleder.

23.

Schon am Samstagmorgen am Bahnhof der Stadt, die immer noch saisongemäß fröhlich war, völlig zerknittert und elend, schon auf dem Bahnsteig des Bahnhofs die ZEITUNG und wieder mit Katharina auf dem Titel, diesmal, wie sie in Begleitung eines Kriminalbeamten in Zivil die Treppe des Präsidiums herunterkam. *MÖRDERBRAUT IMMER NOCH*

VERSTOCKT! KEIN HINWEIS AUF GÖTTENS VER-
BLEIB! POLIZEI IN GROSSALARM.

Trude kaufte das Ding, und sie fuhren schweigend im Taxi
nach Hause, und als er den Fahrer bezahlte, während Trude
die Haustür aufschloß, wies der Fahrer auf die ZEITUNG
und sagte: »Sie sind auch drin, ich hab' Sie gleich erkannt. Sie
sind doch der Anwalt und Arbeitgeber von diesem Nütt-
chen.« Er gab viel zuviel Trinkgeld, und der Fahrer, dessen
Grinsen gar nicht so schadenfroh war wie seine Stimme klang,
brachte ihm Koffer, Taschen und Skier noch bis in die Diele
und sagte freundlich »Tschüs«.

Trude hatte schon die Kaffeemaschine eingestöpselt und
wusch sich im Bad. Die ZEITUNG lag im Salon auf dem
Tisch und zwei Telegramme, eins von Lüding, das andere von
Sträubleder. Von Lüding: »Sind gelinde gesagt enttäuscht,
weil kein Kontakt. Lüding.« Von Sträubleder: »Kann nicht
begreifen, daß Du mich so im Stich läßt. Erwarte sofort
Anruf. Alois.«

Es war gerade acht Uhr fünfzehn und fast genau die Zeit,
zu der ihnen sonst Katharina das Frühstück servierte: hübsch,
wie sie immer den Tisch deckte, mit Blumen und frisch gewa-
schenen Tüchern und Servietten, vielerlei Brot und Honig,
Eiern und Kaffee und für Trude Toast und Orangenmarme-
lade.

Sogar Trude war fast sentimental, als sie die Kaffeemaschine, ein bißchen Knäckebrot, Honig und Butter brachte.
»Es wird nie mehr so sein, nie mehr. Sie machen das Mädchen
fertig. Wenn nicht die Polizei, dann die ZEITUNG, und
wenn die ZEITUNG die Lust an ihr verliert, dann machen's
die Leute. Komm, lies das jetzt erst mal und dann erst ruf die
Herrenbesucher an.« Er las:

»Der ZEITUNG, stets bemüht, Sie umfassend zu infor-
mieren, ist es gelungen, weitere Aussagen zu sammeln, die den

Charakter der Blum und ihre undurchsichtige Vergangenheit beleuchten. Es gelang ZEITUNGS-Reportern, die schwerkranke Mutter der Blum ausfindig zu machen. Sie beklagte sich zunächst darüber, daß ihre Tochter sie seit langer Zeit nicht mehr besucht hat. Dann, mit den unumstößlichen Fakten konfrontiert, sagte sie: ›So mußte es ja kommen, so mußte es ja enden.‹ Der ehemalige Ehemann, der biedere Textilarbeiter Wilhelm Brettloh, von dem die Blum wegen böswilligen Verlassens schuldig geschieden ist, gab der ZEITUNG noch bereitwilliger Auskunft. ›Jetzt‹, sagte er, die Tränen mühsam zurückhaltend, ›weiß ich endlich, warum sie mir tritschen gegangen ist. Warum sie mich sitzengelassen hat. DAS war's also, was da lief. Nun wird mir alles klar. Unser bescheidenes Glück genügte ihr nicht. Sie wollte hoch hinaus, und wie soll schon ein redlicher, bescheidener Arbeiter je zu einem Porsche kommen. Vielleicht (fügte er weise hinzu) können Sie den Lesern der ZEITUNG meinen Rat übermitteln: So müssen falsche Vorstellungen von Sozialismus ja enden. Ich frage Sie und Ihre Leser: Wie kommt ein Dienstmädchen an solche Reichtümer. Ehrlich erworben kann sie's ja nicht haben. Jetzt weiß ich, warum ich ihre Radikalität und Kirchenfeindlichkeit immer gefürchtet habe, und ich segne den Entschluß unseres Herrgotts, uns keine Kinder zu schenken. Und wenn ich dann noch erfahre, daß ihr die Zärtlichkeiten eines Mörders und Räubers lieber waren als meine unkomplizierte Zuneigung, dann ist auch dieses Kapitel geklärt. Und dennoch möchte ich ihr zurufen: meine kleine Katharina, wärst du doch bei mir geblieben. Auch wir hätten es im Laufe der Jahre zu Eigentum und einem Kleinwagen gebracht, einen Porsche hätte ich dir wohl nie bieten können, nur ein bescheidenes Glück, wie es ein redlicher Arbeitsmann zu bieten hat, der der Gewerkschaft mißtraut. Ach, Katharina.‹«

Unter der Überschrift: »Rentnerehepaar ist entsetzt, aber

nicht überrascht«, fand Blorna noch auf der letzten Seite eine rot angestrichene Spalte:

Der pensionierte Studiendirektor Dr. Berthold Hiepertz und Frau Erna Hiepertz zeigten sich entsetzt über die Aktivitäten der Blum, aber nicht »sonderlich überrascht«. In Lemgo, wo eine Mitarbeiterin der ZEITUNG sie bei ihrer verheirateten Tochter, die dort ein Sanatorium leitet, aufsuchte, äußerte der Altphilologe und Historiker Hiepertz, bei dem die Blum seit 3 Jahren arbeitet: »Eine in jeder Beziehung radikale Person, die uns geschickt getäuscht hat.«

(Hiepertz, mit dem Blorna später telefonierte, schwor, folgendes gesagt zu haben: »Wenn Katharina radikal ist, dann ist sie radikal hilfsbereit, planvoll und intelligent – ich müßte mich schon sehr in ihr getäuscht haben, und ich habe eine vierzigjährige Erfahrung als Pädagoge hinter mir und habe mich selten getäuscht.«)

Fortsetzung von Seite 1:

»Der völlig gebrochene ehemalige Ehemann der Blum, den die ZEITUNG anläßlich einer Probe des Trommler- und Pfeiferkorps Gemmelsbroich aufsuchte, wandte sich ab, um seine Tränen zu verbergen. Auch die übrigen Vereinsmitglieder wandten sich, wie Altbauer Meffels es ausdrückte, mit Grausen von Katharina ab, die immer so seltsam gewesen sei und immer so prüde getan habe. Die harmlosen Karnevalsfreuden eines redlichen Arbeiters jedenfalls dürften getrübt sein.«

Schließlich ein Foto von Blorna und Trude, im Garten am Swimming-pool. Unterschrift: »Welche Rolle spielt die Frau, die einmal als die ›rote Trude‹ bekannt war, und ihr Mann, der sich gelegentlich als ›links‹ bezeichnet. Hochbezahlter Industrieanwalt Dr. Blorna mit Frau Trude vor dem Swimming-pool der Luxusvilla.«

24

Hier muß eine Art Rückstau vorgenommen werden, etwas, das man im Film und in der Literatur Rückblende nennt: vom Samstagmorgen, an dem das Ehepaar Blorna zerknittert und ziemlich verzweifelt aus dem Urlaub zurückkam, auf den Freitagmorgen, an dem Katharina erneut zum Verhör aufs Präsidium geholt wurde; diesmal durch Frau Pletzer und einen älteren Beamten, der nur leicht bewaffnet war, und nicht aus ihrer eigenen Wohnung wurde sie geholt, sondern aus der Wohnung der Frau Woltersheim, zu der Katharina morgens gegen fünf Uhr, diesmal mit ihrem Auto, gefahren war. Die Beamtin machte kein Hehl daraus, daß ihr bekannt war, sie würde Katharina nicht zu Hause, sondern bei der Woltersheim finden. (Gerechterweise sollte man nicht vergessen, die Opfer und Strapazen des Ehepaars Blorna noch einmal ins Gedächtnis zu rufen: Abbruch des Urlaubs, Taxifahrt zum Flugplatz in I. Warten im Nebel. Taxi zum Bahnhof. Zug nach Frankfurt, dann aber Umsteigen in München. Im Schlafwagen elend geschüttelt, und am frühen Morgen, soeben zu Hause angekommen, schon mit der ZEITUNG konfrontiert! Später – zu spät natürlich – bereute Blorna, daß er nicht statt Katharina, von der er ja durch den ZEITUNGS-Kerl wußte, daß sie vernommen wurde, Hach angerufen hatte.)

Was allen, die an der zweiten Vernehmung von Katharina am Freitag teilnahmen – wiederum Moeding, die Pletzer, die Staatsanwälte Dr. Korten und Hach, die Protokollführerin Anna Lockster, die die sprachliche Sensibilität der Blum als lästig empfand und als »affig« bezeichnete –, was allen auffiel, war Beizmennes geradezu strahlende Laune. Er betrat händereibend den Verhandlungsraum, behandelte Katharina geradezu zuvorkommend, entschuldigte sich für »gewisse Grobheiten«, die nicht seinem Amt, sondern seiner Person entsprächen, er sei nun einmal ein etwas ungeschliffener Kerl, und nahm zunächst die inzwischen erstellte Liste der beschlagnahmten Gegenstände vor; es handelte sich um:

1. Ein kleines, abgenutztes grünes Notizbuch kleinen Formats, das ausschließlich Telefonnummern enthielt, die inzwischen überprüft worden waren und keinerlei Verfänglichkeiten ergeben hatten. Offenbar benutzte Katharina Blum dieses Notizbuch schon seit fast zehn Jahren. Ein Schriftsachverständiger, der nach schriftlichen Spuren von Götten gesucht hatte (Götten war u. a. Bundeswehrdeserteur und hatte in einem Büro gearbeitet, also viele handschriftliche Spuren hinterlassen), hatte die Entwicklung ihrer Handschrift als gerade schulbeispielhaft bezeichnet. Das sechzehnjährige Mädchen, das die Telefonnummer des Metzgers Gerbers notiert hatte, die Siebzehnjährige, die die Nummer des Arztes Dr. Kluthen, die Zwanzigjährige bei Dr. Fehnern – und später die Nummern und Adressen von Traiteuren, Restaurateuren, Kollegen.

2. Kontoauszüge der Sparkasse, auf denen jede Um- oder Abbuchung durch handschriftliche Randnotizen der Blum genau identifiziert waren. Einzahlungen, Abbuchungen – alles korrekt und keine der bewegten Summen verdächtig. Dasselbe traf auf ihre Buchführung zu und auf Notizen und Mitteilungen, die in einem kleinen Hefter enthalten waren, wo sie den Stand ihrer Verpflichtungen gegenüber der Firma »Haftex« gebucht hatte, von der sie ihre Eigentumswohnung in »Elegant am Strom wohnen« erworben hatte. Auch ihre Steuererklärungen, Steuerbescheide, Steuerzahlungen waren genauestens geprüft und durch einen Bilanzfachmann durchgesehen worden, der nirgendwo eine »versteckte größere Summe« hatte ausfindig machen können. Beizmenne hatte Wert darauf gelegt, ihre finanziellen Transaktionen beson-

ders im Zeitraum der letzten zwei Jahre, die er scherzhaft als
»Herrenbesuchszeit« bezeichnete, zu prüfen. Nichts. Es ergab sich immerhin, daß Katharina ihrer Mutter monatlich 150
DM überwies, daß sie das Grab ihres Vaters in Gemmelsbroich durch ein Abonnement der Firma Kolter in Kuir
pflegen ließ. Ihre Möbelanschaffungen, Hausgeräte, Kleider,
Unterwäsche, Benzinrechnungen, alles geprüft und nirgendwo eine Lücke entdeckt. Der Buchhaltungsfachmann
hatte, als er Beizmenne die Akten zurückgab, gesagt:
»Mensch, wenn die freikommt und sucht mal 'ne Stelle – gib
mir 'nen Tip. So was sucht man ständig und findet es nicht.«
Auch die Telefonrechnungen der Blum ergaben keine Verdachtsmomente. Offenbar hatte sie Ferngespräche kaum
geführt.

Bemerkt worden war auch, daß Katharina Blum ihrem
Bruder Kurt, der zur Zeit wegen Einbruchdiebstahls einsaß,
gelegentlich kleinere Summen zwischen 15 und 30 DM zur
Aufbesserung seines Taschengeldes überwies.

Kirchensteuer zahlte die Blum nicht. Sie war, wie aus ihren
Finanzakten ersichtlich, schon als Neunzehnjährige im Jahre
1966 aus der kath. Kirche ausgetreten.

3. Ein weiteres kleines Notizbuch mit verschiedenen Ein-
tragungen, hauptsächlich rechnerischer Art, enthielt vier Ru-
briken: Eine für den Haushalt Blorna mit Ab- und Zusam-
menrechnungen über Lebensmitteleinkäufe und Auslagen für
Putzmittel, Reinigungsanstalten, Wäschereien. Dabei wurde
festgestellt, daß Katharina die Wäsche eigenhändig bügelte.

Die zweite für den Haushalt Hiepertz mit entsprechenden
Angaben und Berechnungen.

Eine weitere für den eigenen Haushalt der Blum, den diese
offenbar mit geringen Mitteln bestritt; es fanden sich Monate,
in denen sie etwa für Lebensmittel kaum 30–50 DM ausgegeben hatte. Sie schien allerdings – Fernsehen hatte sie nicht –

öfters ins Kino zu gehen und sich hin und wieder Schokolade, sogar Pralinen zu kaufen.

Die vierte Rubrik enthielt Einnahmen und Ausgaben, die mit den Extrabeschäftigungen der Blum zusammenhingen, betrafen Anschaffungs- und Reinigungskosten für Berufskleidung, anteilige Unkosten für den Volkswagen. Hier – bei den Benzinrechnungen – hakte Beizmenne mit einer Freundlichkeit, die alle überraschte, ein und fragte sie, woher die relativ hohen Benzinkosten kämen, die übrigens mit der auffallend hohen Ziffer zusammenhingen, die ihr Kilometerzähler aufweise. Man habe festgestellt, daß die Entfernung zu Blorna hin und zurück etwa 6, die Entfernung zu Hiepertz hin und zurück etwa 8, zu Frau Woltersheim etwa 4 km betrage, und wenn man im Durchschnitt, was großzügig berechnet sei, eine Extrabeschäftigung wöchentlich veranschlage und dafür, was ebenfalls großzügig sei, 20 km veranschlage, was umgelegt auf die Wochentage etwa 3 km ausmache, so käme man auf etwa 21–22 km täglich. Dabei sei zu bedenken, daß sie ja die Woltersheim nicht täglich besuche, aber man wolle darüber hinwegsehen. Man käme also auf etwa 8000 km jährlich, sie – Katharina Blum – habe aber, wie aus der schriftlichen Abmachung mit dem Koch Klormer ersichtlich sei, den VW vor zwei Jahren bei einem Kilometerstand von 56000 übernommen. Rechne man nun 2 × 8000 hinzu, so müsse ihr Kilometerstand jetzt etwa bei 72000 liegen, in Wirklichkeit aber betrage er fast 102000 km. Nun sei bekannt, daß sie zwar hin und wieder ihre Mutter in Gemmelsbroich und später im Sanatorium in Kuir-Hochsakkel besucht habe, wohl auch manchmal ihren Bruder im Gefängnis – aber die Entfernung Gemmelsbroich bzw. Kuir-Hochsackel betrage hin und zurück etwa 50 km und zu ihrem Bruder etwa 60 km, und wenn man nun monatlich je einen oder, großzügig, monatlich zwei Besuche rechne – und ihr

Bruder sitze ja erst eineinhalb Jahre, er habe vorher bei der Mutter in Gemmelsbroich gewohnt –, nun, so käme man – immer auf zwei Jahre berechnet – auf weitere 4000–5000 km und es blieben da noch etwa 25 000 km ungeklärt bzw. ungedeckt. Wo sie denn so oft hingefahren sei. Ob sie – er wolle nun wirklich nicht wieder mit groben Andeutungen kommen, aber sie müsse seine Frage verstehen – dann vielleicht jemanden oder mehrere irgendwo – und wo – getroffen habe?

Fasziniert, auch entsetzt hörte nicht nur Katharina Blum, auch alle anderen Anwesenden hörten dieser mit sanfter Stimme von Beizmenne vorgebrachten Berechnung zu, und es scheint so, als habe die Blum, während Beizmenne ihr das alles vorrechnete und vorhielt, nicht einmal Ärger empfunden, sondern lediglich eine mit Entsetzen und Faszination gemischte Spannung, weil sie, während er sprach, nicht etwa nach einer Erklärung für die 25 000 km suchte, sondern sich selbst darüber klarzuwerden versuchte, wo und wann sie warum wohin gefahren war. Sie war schon, als sie sich zur Vernehmung hinsetzte, überraschend wenig spröde, fast »weich« gewesen, sogar ängstlich hatte sie gewirkt, hatte Tee angenommen und nicht einmal darauf bestanden, ihn selbst zu bezahlen. Und jetzt, als Beizmenne mit seinen Fragen und Berechnungen fertig war, herrschte – nach der Aussage mehrerer, *fast* aller anwesenden Personen – Totenstille, als ahne man, daß hier jemand auf Grund einer Feststellung, die – wären nicht die Benzinrechnungen gewesen – leicht hätte übersehen werden können, tatsächlich in ein intimes Geheimnis der Blum, deren Leben sich bisher so übersichtlich dargestellt hatte, eingedrungen sei.

»Ja«, sagte Katharina Blum, und von hier an wurde ihre Aussage protokolliert und liegt als solche vor, »das stimmt, das sind pro Tag – ich habe das jetzt rasch im Kopf nachgerechnet, über 30 Kilometer. Ich habe nie darüber nachgedacht, und auch die Unkosten nie bedacht, aber ich bin manchmal einfach losgefahren, einfach los und drauflos, ohne Ziel, d. h. – irgendwie ergab sich ein Ziel, d. h., ich fuhr in eine Richtung, die sich einfach so ergab, nach Süden Richtung Koblenz, oder nach Westen Richtung Aachen oder runter zum Niederrhein. Nicht täglich. Ich kann nicht sagen wie oft und in welchen Abständen. Meistens, wenn es regnete und wenn ich Feierabend hatte und allein war. Nein, ich korrigiere meine Aussage: immer nur, wenn es regnete, bin ich losgefahren. Ich weiß nicht genau warum. Sie müssen wissen, daß ich manchmal, wenn ich nicht zu Hiepertz mußte und keine Extrabeschäftigung fällig war, schon um fünf Uhr zu Hause war und nichts zu tun hatte. Ich wollte doch nicht immer zu Else, besonders nicht, seitdem sie mit Konrad so befreundet ist, und auch allein ins Kino gehen, ist für eine alleinstehende Frau nicht immer so risikolos. Manchmal habe ich mich auch in eine Kirche gesetzt, nicht aus religiösen Gründen, sondern weil man da Ruhe hat, aber auch in Kirchen werden Sie neuerdings angequatscht, und nicht nur von Laien. Ich habe natürlich ein paar Freunde: Werner Klormer zum Beispiel, von dem ich den Volkswagen gekauft habe, und seine Frau, und auch andere Angestellte bei Kloft, aber es ist ziemlich schwierig und meistens peinlich, wenn man allein kommt und nicht unbedingt, oder besser: nicht bedingungslos jeden Anschluß wahrnimmt oder sucht. Und dann bin ich eben einfach ins Auto gestiegen, habe mir das Radio angemacht und bin losgefahren, immer über Landstraßen, immer im Regen, und am liebsten waren mir die Landstraßen mit Bäumen – manchmal bin ich bis Holland oder Belgien durch, habe da Kaffee oder auch Bier getrunken und bin wieder zurück. Ja. Jetzt, wo Sie mich fragen, wird es mir erst klar. So – wenn Sie mich fragen, wie oft – ich würde sagen: zweimal, dreimal im Monat

– manchmal auch seltener, manchmal wohl öfter und meistens stundenlang, bis ich um neun oder zehn, manchmal auch erst gegen elf todmüde wieder nach Hause kam. Es war wohl auch Angst: ich kenne so viele alleinstehende Frauen, die sich abends allein vor dem Fernseher betrinken.«

Das milde Lächeln, mit dem Beizmenne diese Erklärung kommentarlos zur Kenntnis nahm, ließ keinen Schluß auf seine Gedanken zu. Er nickte nur, und wenn er sich wieder einmal die Hände rieb, dann wohl, weil die Auskunft von Katharina Blum eine seiner Theorien bestätigt hatte. Es blieb eine Weile sehr still, als wären die Anwesenden überrascht oder peinlich berührt; es schien, als habe die Blum zum erstenmal etwas aus ihrer Intimsphäre preisgegeben. So wurden denn auch die Erläuterungen zu den weiteren beschlagnahmten Gegenständen rasch erledigt.

4. Ein Fotoalbum enthielt nur Fotografien von Personen, die leicht zu identifizieren waren. Den Vater von Katharina Blum, der kränklich und verbittert wirkte und weitaus älter aussah, als er gewesen sein konnte. Ihre Mutter, von der sich herausstellte, daß sie krebskrank war und im Sterben lag. Ihr Bruder. Sie selbst, Katharina mit vier, mit sechs Jahren, als Erstkommunikantin mit zehn, als Jungverheiratete mit zwanzig; ihr Mann, der Pfarrer von Gemmelsbroich, Nachbarn, Verwandte, verschiedene Fotos von Else Woltersheim, dann ein zunächst nicht identifizierbarer älterer Herr, der recht munter wirkte und von dem sich herausstellte, daß es Dr. Fehnern, der straffällig gewordene Wirtschaftsprüfer, war. Kein Foto irgendeiner Person, die in Zusammenhang mit Beizmennes Theorien gebracht werden konnte.

5. Ein Reisepaß auf den Namen Katharina Brettloh geb. Blum. Im Zusammenhang mit dem Paß wurden Fragen nach Reisen gestellt, und es erwies sich, daß Katharina noch nie »richtig verreist« gewesen war und bis auf einige Tage, an

denen sie krank gewesen war, immer gearbeitet hatte. Sie hatte sich ihr Urlaubsgeld bei Fehnern und Blornas zwar auszahlen lassen, aber entweder weitergearbeitet oder Aushilfsstellen angenommen.

6. Eine alte Pralinenschachtel. Inhalt: einige Briefe, kaum ein Dutzend von ihrer Mutter, ihrem Bruder, ihrem Mann, Frau Woltersheim. Kein Brief enthielt irgendeinen Hinweis im Zusammenhang mit dem gegen sie bestehenden Verdacht. Außerdem enthielt die Pralinenschachtel noch ein paar lose Fotos von ihrem Vater als Gefreiten der Deutschen Wehrmacht, ihrem Mann in der Uniform des Trommlerkorps, ein paar abgerissene Kalenderblätter mit Sprichwörtern, eine ziemlich umfangreiche, handgeschriebene Sammlung eigener Rezepte und eine Broschüre »Über die Verwendung von Sherry in Soßen«.

7. Einen Aktenordner mit Zeugnissen, Diplomen, Urkunden, den gesamten Scheidungsakten und den notariellen Urkunden, die ihre Eigentumswohnung betrafen.

8. Drei Schlüsselbünde, die inzwischen überprüft worden waren. Es handelte sich um Haus- und Schrankschlüssel zu ihrer eigenen Wohnung, zu Blornas und Hiepertz' Wohnung.

Es wurde festgestellt und protokollarisch festgehalten, daß unter den oben aufgeführten Gegenständen kein verdächtiger Anhaltspunkt gefunden worden sei; die Erklärung von Katharina Blum über ihren Benzinverbrauch und ihre Fahrtkilometer wurde kommentarlos akzeptiert.

Erst in diesem Augenblick zog Beizmenne einen mit Brillanten besetzten Rubinring aus der Tasche, den er offenbar lose dort aufbewahrt hatte, denn er putzte ihn am Rockärmel blank, bevor er ihn Katharina hinhielt. »Ist Ihnen dieser Ring bekannt?«

»Ja«, sagte sie ohne Zögern und Verlegenheit.

»Gehört er Ihnen?«

»Ja.«

»Wissen Sie, was er wert ist?«

»Nicht genau. Viel kann es nicht sein.«

»Nun«, sagte Beizmenne freundlich, »wir haben ihn schätzen lassen, und vorsichtshalber nicht nur von unserem Fachmann hier im Haus, zusätzlich noch, um Ihnen auf keinen Fall unrecht zu tun, von einem Juwelier hier in der Stadt. Dieser Ring ist achttausend bis zehntausend Mark wert. Das wußten Sie nicht? Ich glaube es Ihnen sogar, und doch müßten Sie mir erklären, woher Sie ihn haben. Im Zusammenhang mit einer Ermittlung, in der es sich um einen des Raubes überführten Verbrecher handelt, der dringend mordverdächtig ist, ist ein solcher Ring keine Kleinigkeit, und auch nichts Privates, Intimes wie Hunderte Kilometer, stundenlanges Autofahren im Regen. Von wem stammt nun der Ring, von Götten oder dem Herrenbesuch, oder war Götten nicht doch der Herrenbesuch, und wenn nicht – wo sind Sie denn, als Damenbesuch, wenn ich es scherzhaft so nennen darf – hingefahren im Regen, Tausende Kilometer? Es wäre eine Kleinigkeit für uns, festzustellen, von welchem Juwelier der Ring stammt, ob gekauft oder gestohlen, aber ich möchte Ihnen eine Chance geben – ich halte Sie nämlich nicht für unmittelbar kriminell, sondern nur für naiv und ein bißchen zu romantisch. Wie wollen Sie mir – uns – erklären, daß Sie, die Sie als zimperlich, fast prüde bekannt sind, die Sie von Ihren Bekannten und Freunden den Spitznamen ›Nonne‹ erhalten haben, die Diskotheken meidet, weil es dort zu wüst zugeht – sich von ihrem Mann scheiden läßt, weil er ›zudringlich‹ geworden ist –, wie wollen Sie uns dann erklären, daß Sie – angeblich – diesen Götten erst vorgestern kennengelernt haben und noch am gleichen Tage – man könnte sagen stehenden Fußes – ihn mit in Ihre Wohnung genommen haben und dort sehr rasch – na sagen wir – intim mit ihm geworden sind.

Wie nennen Sie das? Liebe auf den ersten Blick? Verliebtheit? Zärtlichkeit? Wollen Sie nicht einsehen, daß es da einige Ungereimtheiten gibt, die den Verdacht nicht so ganz auslöschen? Und da ist noch etwas.« Jetzt griff er in seine Rocktasche und zog einen größeren weißen Briefumschlag aus der Tasche, dem er einen ziemlich extravaganten, veilchenfarbenen Briefumschlag normalen Formats entnahm, der cremefarben gefüttert war. »Dieser leere Briefumschlag, den wir zusammen mit dem Ring in Ihrer Nachttischschublade gefunden haben, ist am 12. 2. 74 um 18.00 Uhr bei der Bahnpost in Düsseldorf gestempelt worden – und an Sie adressiert. Mein Gott«, sagte Beizmenne abschließend, »wenn Sie einen Freund gehabt haben, der Sie hin und wieder besuchte und zu dem Sie manchmal gefahren sind, der Ihnen Briefe schrieb und manchmal etwas schenkte – sagen Sie es uns doch, es ist ja kein Verbrechen. Es belastet Sie ja nur, wenn ein Zusammenhang mit Götten besteht.«

Es war allen Anwesenden klar, daß Katharina den Ring erkannte, dessen Wert aber nicht gewußt hatte; daß hier wieder das heikle Thema Herrenbesuch aufkam. Schämte sie sich etwa nur, weil sie ihren Ruf gefährdet sah, oder sah sie jemand anderen gefährdet, den sie nicht in die Sache hineinziehen wollte? Sie errötete diesmal nur leicht. Gab sie deshalb nicht an, den Ring von Götten bekommen zu haben, weil sie wußte, daß es ziemlich unglaubwürdig gewesen wäre, aus Götten einen Kavalier dieses Schlags zu machen? Sie blieb ruhig, fast »zahm«, als sie zu Protokoll gab: »Es trifft zu, daß ich beim Hausball der Frau Woltersheim ausschließlich und innig mit Ludwig Götten getanzt habe, den ich zum erstenmal in meinem Leben sah und dessen Nachnamen ich erst bei der polizeilichen Vernehmung am Donnerstagmorgen erfuhr. Ich empfand große Zärtlichkeit für ihn und er für mich. Gegen zehn Uhr habe ich die Wohnung von Frau Wolters-

heim verlassen und bin mit Ludwig Götten in meine Wohnung gefahren.

Über die Herkunft des Schmuckstückes kann ich, ich korrigiere mich: will ich keine Auskunft geben. Da es nicht auf
unrechtmäßige Weise in meinen Besitz gelangt ist, fühle ich
mich nicht verpflichtet, seine Herkunft zu erklären. Der Absender des mir vorgehaltenen Briefumschlages ist mir unbekannt. Es muß sich um eine der üblichen Werbesendungen
handeln. Ich bin in gastronomischen Fachkreisen inzwischen
einigermaßen bekannt. Für die Tatsache, daß eine Reklame-
sendung ohne Absender in einem einigermaßen kostspieligen
und aufwendig wattierten Briefumschlag versendet wird,
habe ich keine Erklärung. Ich möchte nur drauf hinweisen,
daß gewisse gastronomische Firmen sich gern den Anschein
von Vornehmheit geben.«

Als sie dann gefragt wurde, warum sie ausgerechnet an
diesem Tag, wo sie doch offensichtlich und zugegebenermaßen so gern Auto fahre, an diesem Tag mit der Straßenbahn zu
Frau Woltersheim gefahren sei, sagte Katharina Blum, sie
habe nicht gewußt, ob sie viel oder wenig Alkohol trinken
würde, und es sei ihr sicherer erschienen, nicht mit ihrem
Wagen zu fahren. Gefragt, ob sie viel trinke oder gar gelegentlich betrunken sei, sagte sie, nein, sie trinke wenig, und betrunken sei sie nie gewesen, nur einmal sei sie – und zwar in
Gegenwart und auf Veranlassung ihres Mannes bei einem
geselligen Abend des Trommlerkorps – betrunken *gemacht*
worden, und zwar mit einem Aniszeug, das wie Limonade
schmeckte. Man habe ihr später gesagt, dieses ziemlich teuere
Zeug sei ein beliebtes Mittel, Leute betrunken zu machen. Als
ihr vorgehalten wurde, diese Erklärung – sie habe gefürchtet,
eventuell zuviel zu trinken – sei nicht stichhaltig, da sie nie
viel trinke, und ob ihr nicht einleuchte, daß es so aussehen
müsse, als sei sie mit Götten regelrecht verabredet gewesen,

habe also gewußt, daß sie ihr Auto nicht brauchen, sondern in seinem Auto heimfahren werde, schüttelte sie den Kopf und sagte, es sei genauso, wie sie angegeben habe. Es sei ihr durchaus danach zumute gewesen, sich einmal einen anzutrinken, aber sie habe es dann doch nicht getan.

Ein weiterer Punkt mußte vor der Mittagspause noch geklärt werden: Warum sie weder ein Spar- noch ein Scheckbuch habe. Ob es nicht doch noch irgendwo ein Konto gebe. Nein, sie habe kein weiteres Konto als das bei der Sparkasse. Jede, auch die kleinste ihr zur Verfügung stehende Summe benutze sie sofort, um ihren hochverzinslichen Kredit abzuzahlen; die Kreditzinsen wären manchmal fast doppelt so hoch wie die Sparzinsen, und auf einem Girokonto gäbe es fast gar keine Zinsen. Außerdem sei ihr der Scheckverkehr zu teuer und umständlich. Laufende Kosten, ihren Haushalt und das Auto, bezahle sie bar.

25.

Gewisse Stauungen, die man auch Spannungen nennen kann, sind ja unvermeidlich, weil nicht alle Quellen mit einem Griff und auf einmal um- und abgelenkt werden können, so daß das trockengelegte Gelände sofort sichtbar wird. Unnötige Spannungen aber sollen vermieden werden, und es soll hier erklärt werden, warum an diesem Freitagmorgen sowohl Beizmenne wie Katharina so milde, fast weich oder gar zahm waren, Katharina sogar ängstlich oder eingeschüchtert. Zwar hatte die ZEITUNG, die eine freundliche Nachbarin unter Frau Woltersheims Haustür geschoben hatte, bei beiden Frauen Wut, Ärger, Empörung, Scham und Angst bewirkt, doch hatte das sofortige Telefongespräch mit Blorna Milderung geschaffen, und da kurz nachdem die beiden entsetzten Frauen die ZEITUNG überflogen und Katharina mit Blorna telefoniert hatte, schon Frau Pletzer erschienen war, die offen zugab, daß man Katharinas Wohnung natürlich überwache und aus diesem Grund wisse, daß sie hier zu finden sei, und nun müsse man leider – und leider auch Frau Woltersheim – zur Vernehmung, da war der offenen und netten Art von Frau Pletzer wegen der Schrecken über die ZEITUNG zunächst verdrängt und für Katharina ein nächtliches Erlebnis wieder in den Vordergrund gerückt, das sie als beglückend empfunden hatte: Ludwig hatte sie angerufen, und zwar von *dort*! Er war so lieb gewesen, und deshalb hatte sie ihm gar nichts von dem Ärger erzählt, weil er nicht das Gefühl haben sollte, er sei die Ursache irgendeines Kummers. Sie hatten auch nicht über Liebe gesprochen, das hatte sie ihm ausdrücklich – schon als sie mit ihm im Auto nach Hause fuhr – verboten. Nein, nein, es ging ihr gut, natürlich wäre sie lieber bei ihm und für immer oder wenigstens für lange mit ihm zusammen, am liebsten natürlich ewig, und sie werde sich Karneval über erholen und nie, nie wieder mit einem andern Mann als ihm tanzen und nie mehr anders als südamerikanisch, und nur mit ihm, und wie es denn dort sei. Er sei sehr gut untergebracht und sehr gut versorgt, und da sie ihm verboten habe, von Liebe zu sprechen, möchte er doch sagen, daß er sie sehr sehr sehr gern habe, und eines Tages – wann, das wisse er noch nicht, es könne Monate, aber auch ein Jahr oder zwei dauern – werde er sie holen, wohin, das wisse er noch nicht. Und so weiter, wie Leute, die große Zärtlichkeit füreinander haben, eben miteinander am Telefon plaudern. Keine Erwähnung von Intimitäten und schon gar kein Wort über jenen Vorgang, den Beizmenne (oder, was immer wahrscheinlicher scheint: Hach) so grob definiert hatte. Und so weiter. Was eben diese Art von Zärtlichkeitsempfinder sich zu sagen haben. Ziemlich lange. Zehn Minuten. Vielleicht sogar mehr, sagte Katharina zu Else. Vielleicht kann man, was das konkrete Vokabularium der beiden Zärtlichen anbetrifft, auch auf gewisse moderne Filme verweisen, wo am Telefon – oft über weite Entfernung hin – ziemlich viel und viel *scheinbar* belanglos geplaudert wird.

Dieses Telefongespräch, das Katharina mit Ludwig führte, war auch der Anlaß für Beizmennes Entspanntheit, Freundlichkeit und Milde, und obwohl er ahnte, warum Katharina alle spröde Bockigkeit abgelegt hatte – konnte sie natürlich nicht ahnen, daß er aus dem gleichen Anlaß, wenn auch nicht aus dem gleichen Grund, so fröhlich war. (Man sollte diesen merk- und denkwürdigen Vorgang zum Anlaß nehmen, öfter zu telefonieren, notfalls auch ohne zärtliches Geflüster, denn man weiß ja nie, *wem* man wirklich mit so einem Telefongespräch eine Freude macht.) Beizmenne kannte aber auch die Ursache für Katharinas Ängstlichkeit, denn er hatte auch Kenntnis von einem weiteren anonymen Anruf.

Es wird gebeten, die vertraulichen Mitteilungen, die dieses Kapitel enthält, nicht nach Quellen abzuforschen, es handelt sich lediglich um den Durchstich eines Nebenpfützenstaus, dessen dilettantisch errichtete Staumauer durchstochen, zum Abfluß bzw. zu Fluß gebracht wird, bevor die schwache Staumauer bricht und alle Spannung verschwendet ist.

26.

Damit keine Mißverständnisse entstehen, muß auch festgestellt werden, daß sowohl Else Woltersheim wie Blorna natürlich wußten, daß Katharina sich regelrecht strafbar gemacht hatte, indem sie Götten half, unbemerkt aus ihrer

Wohnung zu verschwinden; sie mußte ja auch, als sie seine Flucht ermöglicht hatte, Mitwisserin gewisser Straftaten sein, wenn auch in diesem Fall nicht der wahren! Else Woltersheim sagte es ihr auf den Kopf zu, kurz bevor Frau Pletzer beide zum Verhör abholte. Blorna nahm die nächste Gelegenheit wahr, Katharina auf die Strafbarkeit ihres Tuns aufmerksam zu machen. Es soll auch niemandem vorenthalten werden, was Katharina zu Frau Woltersheim über Götten sagte: »Mein Gott, er war es eben, der da kommen soll, und ich hätte ihn geheiratet und Kinder mit ihm gehabt – und wenn ich hätte warten müssen, jahrelang, bis er aus dem Kittchen wieder raus war.«

27.

Die Vernehmung von Katharina Blum konnte damit als abgeschlossen gelten, sie mußte sich nur bereit halten, um möglicherweise mit den Aussagen der übrigen Teilnehmer an der Woltersheimschen Tanzparty konfrontiert zu werden. Es sollte nämlich nun eine Frage geklärt werden, die im Zusammenhang mit Beizmennes Verabredungs- und Verschwörungstheorie wichtig genug war: Wie war Ludwig Götten zum Hausball bei Frau Woltersheim gekommen?

Es wurde Katharina Blum anheimgestellt, nach Hause zu gehen oder an einem ihr genehmen Ort zu warten, aber sie lehnte es ab, nach Hause zu gehen, die Wohnung sagte sie, sei ihr endgültig verleidet, sie zöge es vor, in einer Zelle zu warten, bis Frau Woltersheim vernommen worden sei, und mit dieser dann nach Hause zu gehen. In diesem Augenblick erst zog Katharina die beiden Ausgaben der ZEITUNG aus der Tasche und fragte, ob der Staat – so drückte sie es aus – nichts tun könne, um sie gegen diesen Schmutz zu schützen und ihre verlorene Ehre wiederherzustellen. Sie wisse inzwischen sehr wohl, daß ihre Vernehmung durchaus gerechtfertigt sei, wenn ihr auch dieses »Bis-ins-letzte-Lebensdetail-Gehen« nicht einleuchte, aber es sei ihr unbegreiflich, wie Einzelheiten aus der Vernehmung – etwa der Herrenbesuch – hätten zur Kenntnis der ZEITUNG gelangen können, und alle diese erlogenen und erschwindelten Aussagen. Hier griff Staatsanwalt Hach ein und sagte, es habe natürlich angesichts des riesigen öffentlichen Interesses am Fall Götten eine Presseverlautbarung herausgegeben werden müssen; eine Pressekonferenz habe noch nicht stattgefunden, sei aber wohl wegen der Erregung und Angst, die durch Göttens Flucht – die sie, Katharina, ja ermöglicht habe – entstanden sei, nun kaum noch zu vermeiden. Im übrigen sei sie jetzt durch ihre Bekanntschaft mit Götten eine »Person der Zeitgeschichte« und damit Gegenstand berechtigten öffentlichen Interesses. Beleidigende und möglicherweise verleumderische Details der Berichterstattung könne sie zum Gegenstand einer Privatklage machen, und – falls sich herausstelle, daß es »undichte Stellen« innerhalb der untersuchenden Behörde gebe, so werde diese, darauf könne sie sich verlassen, Anzeige gegen Unbekannt erheben und ihr zu ihrem Recht verhelfen. Dann wurde Katharina Blum in eine Zelle verbracht. Man verzichtete auf scharfe Bewachung, gab ihr lediglich eine jüngere Polizeiassistentin, Renate Zündach, bei, die, unbewaffnet, bei ihr blieb und später berichtete, Katharina Blum habe die ganze Zeit über – etwa zweieinhalb Stunden lang – nichts weiter getan, als immer und immer wieder die beiden Ausgaben der ZEITUNG zu lesen. Tee, Brote, alles habe sie abgelehnt, nicht in aggressiver, sondern in »fast freundlicher, apathischer Weise«. Jede Unterhaltung über Mode, Filme, Tänze, die sie, Renate Zündach, anzufangen versucht habe, um Katharina abzulenken, habe diese abgelehnt.

Sie habe dann, um der Blum, die sich regelrecht in die Lektüre der ZEITUNG verbissen habe, zu helfen, die Bewachung vorübergehend dem Kollegen Hüften übergeben und aus dem Archiv die Berichte anderer Zeitungen geholt, in denen über die Verstrickung und Vernehmung der Blum, ihre mögliche Rolle, in durchaus sachlicher Form berichtet worden sei. Auf der dritten, vierten Seite kurze Berichte, in denen nicht einmal der Name der Blum voll ausgedruckt gewesen sei, von ihr lediglich als von einer gewissen Katharina B., Hausgehilfin, gesprochen worden sei. Zum Beispiel habe in der ›Umschau‹ nur eine Zehnzeilen-Meldung gestanden, natürlich ohne Foto, in der man von unglückseligen Verstrickungen einer völlig unbescholtenen Person gesprochen habe. Das alles – sie habe der Blum fünfzehn Zeitungsausschnitte hingelegt – habe diese nicht getröstet, sie habe nur gefragt: »Wer liest das schon? Alle Leute, die ich kenne, lesen die ZEITUNG!«

28.

Um zu klären, wie Götten zum Hausball der Frau Woltersheim hatte kommen können, wurde zuerst Frau Woltersheim selbst vernommen, und es wurde vom ersten Augenblick an klar, daß Frau Woltersheim dem gesamten sie vernehmenden Gremium gegenüber, wenn nicht ausgesprochen feindselig, so doch feindseliger als die Blum gegenüberstand. Sie gab an, 1930 geboren zu sein, also 44 Jahre alt, unverheiratet, von Beruf Wirtschafterin, undiplomiert. Bevor sie zur Sache aussagte, äußerte sie sich mit »unbewegter, fast pulvertrockener Stimme, was ihrer Empörung mehr Kraft verlieh, als wenn sie losgeschimpft oder geschrien hätte«, über die Behandlung von Katharina Blum durch die ZEITUNG sowie über die Tatsache, daß man offensichtlich Details aus der Vernehmung an diese Art Presse weitergebe. Es sei ihr klar, daß Katharinas Rolle untersucht werden müsse, sie frage sich aber, ob es zu verantworten sei, »ein junges Leben zu zerstören«, wie es nun geschehe. Sie kenne Katharina vom Tage ihrer Geburt an und beobachte jetzt schon die Zerstörung und auch Verstörtheit, die an ihr seit gestern bemerkbar sei. Sie sei keine Psychologin, aber die Tatsache, daß Katharina offenbar nicht mehr an ihrer Wohnung, an der sie sehr gehangen und für die sie so lange gearbeitet habe, interessiert sei, halte sie für alarmierend.

Es war schwer, den anklagenden Redefluß der Woltersheim zu unterbrechen, nicht einmal Beizmenne kam so recht gegen sie an, erst als er sie unterbrach und ihr vorwarf, Götten empfangen zu haben, sagte sie, sie habe seinen Namen nicht einmal gewußt, er habe sich nicht vorgestellt, sei ihr auch nicht vorgestellt worden. Sie wisse nur, daß er an dem fraglichen Mittwoch gegen 19.30 Uhr in Begleitung von Hertha Scheumel gekommen sei, gemeinsam mit deren Freundin Claudia Sterm, die wiederum in Begleitung eines als Scheich verkleideten Mannes erschienen sei, von dem sie nur wisse, daß er Karl genannt worden sei und der sich später recht merkwürdig benommen habe. Von einer Verabredung mit diesem Götten könne nicht gesprochen werden, auch habe sie nie vorher seinen Namen gehört, und sie sei über Katharinas Leben bis ins letzte Detail informiert. Als man ihr Katharinas Aussage über ihre »merkwürdigen Autofahrten« vorhielt, mußte sie allerdings zugeben, davon nichts gewußt zu haben, und damit erlitt ihre Angabe, sie wisse über alle Details in Katharinas Leben Bescheid, einen entscheidenden Schlag. Auf den Herrenbesuch angesprochen, wurde sie verlegen und sagte, da Katharina wohl darüber nichts gesagt habe, verweigere auch sie die Aussage. Das einzige, was sie dazu sagen könne: das eine sei eine »ziemlich kitschige Angelegenheit«, und »wenn ich Kitsch sage, meine ich nicht Katharina, sondern den Besucher«. Wenn sie von Katharina bevollmächtigt werde, werde sie alles darüber sagen, was sie wisse; sie halte es für ausgeschlossen, daß Katharinas Autofahrten zu diesem Herrn geführt hätten. Ja, es gebe diesen Herrn, und wenn sie zögere, mehr über ihn zu sagen, so, weil sie ihn nicht der totalen Lächerlichkeit preisgeben wolle. Katharinas Rolle jedenfalls sei in beiden Fällen – im Fall Götten und im Fall Herrenbesuch – über jeden Zweifel erhaben. Katharina sei immer ein fleißiges, ordentliches, ein bißchen schüchternes, oder besser gesagt: eingeschüchtertes Mädchen gewesen, als Kind sogar fromm und kirchentreu. Dann aber sei ihre Mutter, die auch die Kirche in Gemmelsbroich geputzt habe, mehrmals der Unordentlichkeit überführt und einmal sogar erwischt worden, wie sie in der Sakristei gemeinsam mit dem Küster eine Flasche Meßwein getrunken habe. Daraus sei dann eine »Orgie« und ein Skandal gemacht worden, und Katharina sei in der Schule vom Pfarrer schlecht behandelt worden. Ja, Frau Blum, Katharinas Mutter, sei sehr labil, streckenweise auch Alkoholikerin gewesen, aber man müsse sich diesen ewig nörgelnden, kränklichen Mann – Katharinas Vater – vorstellen, der als Wrack aus dem Krieg heimgekommen sei, dann die verbitterte Mutter und den – ja man könne sagen mißratenen Bruder. Ihr sei auch die Geschichte der völlig mißglückten Ehe bekannt. Sie habe ja von vornherein abgeraten, Brettloh sei – sie bitte um Verzeihung für diesen Ausdruck – der typische Schleimscheißer, der sich weltlichen und kirchlichen Behörden gegenüber gleich kriecherisch verhalte, außerdem ein widerwärtiger Angeber. Sie habe Katharinas frühe Ehe als Flucht aus dem schrecklichen häuslichen Milieu betrachtet, und wie man sehe, habe sich ja Katharina, sobald sie dem häuslichen Milieu und der unbedacht geschlossenen Ehe entronnen sei, geradezu vorbildlich entwikkelt. Ihre berufliche Qualifikation sei über jeden Zweifel erhaben, das könne sie – die Woltersheim – nicht nur mündlich, notfalls auch schriftlich bestätigen und bescheinigen, sie sei im Prüfungsausschuß der Handwerkskammer. Mit den neuen Formen privater und öffentlicher Gastlichkeit, die immer mehr auf eine Form hin tendieren, die man »organisierten Buffetismus« zu nennen beginne, stiegen die Chancen einer Frau wie Katharina Blum, die organisatorisch, kalkulatorisch und auch, was die ästhetische Seite betreffe, aufs beste gebildet und ausgebildet sei. Jetzt allerdings, wenn es nicht gelänge, ihr Genugtuung gegenüber der ZEITUNG zu verschaffen, schwinde mit dem Interesse an ihrer Wohnung auch Katharinas Interesse an ihrem Beruf. An diesem Punkt der Aussage wurde auch Frau Woltersheim darüber belehrt, daß es nicht Sache der Polizei oder der Staatsanwaltschaft sei, »gewisse gewiß verwerfliche Formen des Journalismus strafrechtlich zu verfolgen«. Die Pressefreiheit dürfe nicht leichtfertig angetastet werden, und sie dürfe davon überzeugt sein, daß eine Privatklage gerecht behandelt und gegen illegitime Informationsquellen eine Anzeige gegen Unbekannt erhoben werde. Es war der junge Staatsanwalt Dr. Korten, der hier ein fast leidenschaftlich zu nennendes Plädoyer für die Pressefreiheit und für das Informationsgeheimnis hielt und ausdrücklich betonte, daß, wer sich nicht in schlechte Gesellschaft begebe oder in solche gerate, ja auch der Presse keinerlei Anlaß zu vergröberten Darstellungen gebe.

Das Ganze – etwa das Auftauchen Göttens und des ominösen, als Scheich verkleideten Karl – lasse doch Schlüsse auf eine merkwürdige Sorglosigkeit im gesellschaftlichen Umgang zu. Das sei ihm noch nicht hinreichend geklärt, und er rechne damit, bei der Vernehmung der beiden betroffenen oder betreffenden jungen Damen plausible Erklärungen zu bekommen. Ihr, Frau Woltersheim, sei der Vorwurf nicht zu ersparen, daß sie in der Auswahl ihrer Gäste nicht gerade wählerisch sei. Frau Woltersheim verbat sich diese Belehrung durch einen wesentlich jüngeren Herrn und verwies darauf, daß sie die beiden jungen Damen eingeladen habe, mit ihren Freunden zu kommen, und daß es ihr allerdings fernliege, Freunde, die ihre Gäste mitbrächten, nach dem Personalausweis und dem polizeilichen Führungszeugnis zu fragen. Sie mußte einen Verweis entgegennehmen und darauf aufmerksam gemacht werden, daß hier das Alter keine, die Position des Staatsanwalts Dr. Korten aber eine erhebliche Rolle spiele. Immerhin untersuche man hier einen ernsten, einen schweren, wenn nicht den schwersten Fall von Gewaltkriminalität, in den Götten nachweislich verwickelt sei. Sie müsse es schon dem Vertreter des Staates überlassen, welche Details und welche Belehrungen er für richtig halte. Nochmals gefragt, ob Götten und der Herrenbesuch ein und dieselbe Person sein könnten, sagte die Woltersheim, nein, das könne mit Sicherheit ausgeschlossen werden. Als sie dann aber gefragt wurde, ob sie den »Herrenbesuch« persönlich kenne, je gesehen habe, ihm je begegnet sei, mußte sie das verleugnen, und da sie auch ein so wichtiges intimes Detail, wie die merkwürdigen Autofahrten nicht gewußt hatte, wurde ihre Vernehmung als unbefriedigend bezeichnet, und sie wurde »mit einem Mißton« vorläufig entlassen. Bevor sie den Raum, offenbar verärgert, verließ, gab sie noch zu Protokoll, daß der als Scheich verkleidete Karl ihr mindestens so verdächtig erschienen sei wie Götten. Jedenfalls habe er auf der Toilette ständig Selbstgespräche geführt und sei dann ohne Abschied verschwunden.

29

Da nachweislich die siebzehnjährige Verkäuferin Hertha Scheumel den Götten mit zur Party gebracht hatte, wurde sie als nächste vernommen. Sie war offensichtlich verängstigt, sagte, sie habe noch nie mit der Polizei zu tun gehabt, gab aber dann eine relativ plausible Erklärung über ihre Bekanntschaft mit Götten ab. »Ich wohne«, sagte sie aus, »mit meiner Freundin Claudia Sterm, die in einer Schokoladenfabrik arbeitet, zusammen in einem Ein-Zimmer-Küche-Dusche-Appartement. Wir stammen beide aus Kuir-Oftersbroich, sind beide sowohl mit Frau Woltersheim wie mit Katharina Blum weitläufig verwandt (obwohl die Scheumel die Weitläufigkeit der Verwandtschaft genauer darstellen wollte, indem sie auf Großeltern verwies, die Vettern bzw. Kusinen von Großeltern gewesen waren, wurde auf eine detaillierte Bezeichnung ihrer Verwandtschaft verzichtet und der Ausdruck ›weitläufig‹ als ausreichend angesehen). Wir nennen Frau Woltersheim Tante und betrachten Katharina als Kusine. An diesem Abend, am Mittwoch, dem 20. Februar 1974, waren wir beide, Claudia und ich, in großer Verlegenheit. Wir hatten Tante Else versprochen, unsere Freunde zu dem kleinen Fest mitzubringen, weil es sonst an Tanzpartnern fehlen würde. Nun war aber mein Freund, der zur Zeit bei der Bundeswehr dient, genauer gesagt: bei den Pionieren, wieder einmal und wieder plötzlich zur Innenstreife eingeteilt worden, und obwohl ich ihm riet, einfach abzuhauen, gelang es mir nicht, ihn dazu zu überreden, weil er schon mehrmals abgehauen war und große disziplinäre Schwierigkeiten befürchtete. Claudias Freund war aber schon am frühen Nachmittag so betrunken, daß wir ihn ins Bett stecken mußten. Wir entschlossen uns also, ins Café Polkt zu gehen und uns dort jemanden Netten aufzugabeln, weil wir uns bei Tante Else nicht blamieren wollten. Im Café Polkt ist während der Karnevalssaison immer was los. Man trifft sich dort vor und nach den Bällen, vor und nach den Sitzungen, und man kann dort sicher sein, immer viele junge Leute zu treffen. Die Stimmung im Café Polkt war am späten Mittwochnachmittag schon sehr nett. Ich bin zweimal von diesem jungen Mann, von dem ich jetzt erst erfahre, daß er Ludwig Götten heißt und ein gesuchter Schwerverbrecher ist, zum Tanz aufgefordert worden, und beim zweiten Tanz habe ich ihn gefragt, ob er nicht Lust hat, mit mir auf eine Party zu gehen. Er hat sofort freudig zugestimmt. Er sagte, er sei auf der Durchreise, habe keine Bleibe und wisse gar nicht, wo er den Abend verbringen solle, und er würde gern mitgehen. In diesem Moment, als ich mit diesem Götten mich sozusagen verabredete, tanzte Claudia mit einem als Scheich verkleideten Mann neben mir, und sie müssen wohl unser Gespräch mit angehört haben, denn der Scheich, von dem ich später erfuhr, daß er Karl heißt, fragte sofort Claudia in so einer Art witzig gemeinter Demut, ob denn auf dieser Party nicht noch ein Plätzchen für ihn frei sei, er sei auch einsam und wisse nicht so recht, wohin. Nun, damit hatten wir ja unser Ziel erreicht und sind kurz darauf in Ludwigs – ich meine Herrn Göttens – Auto zur Wohnung von Tante Else gefahren. Es war ein Porsche, nicht sehr bequem für vier Personen, aber es war ja auch nicht weit zu fahren. Die Frage, ob Katharina Blum gewußt hat, daß wir ins Café Polkt gehen würden, um jemanden aufzugabeln, beantworte ich mit Ja. Ich habe am Morgen Katharina bei Rechtsanwalt Blorna, wo sie arbeitet, angerufen und ihr erzählt, daß Claudia und ich allein kommen müßten, wenn wir nicht jemand finden würden. Ich habe ihr auch gesagt, daß wir ins Café Polkt gehen würden. Sie war sehr dagegen und meinte, wir wären zu gutgläubig und leichtsinnig. Katharina ist nun mal komisch in diesen Sachen. Um so erstaunter war ich, als

Katharina den Götten fast sofort mit Beschlag belegte und den ganzen Abend mit ihm tanzte, als würden sie sich schon ewig kennen.«

30.

Die Aussage von Hertha Scheumel wurde von ihrer Freundin Claudia Sterm fast wörtlich bestätigt. Lediglich in einem einzigen, unwesentlichen Punkt ergab sich ein Widerspruch. Sie habe nämlich nicht zwei-, sondern dreimal mit dem Scheich Karl getanzt, weil sie früher von Karl als Hertha von Götten zum Tanz aufgefordert worden sei. Und auch Claudia Sterm zeigte sich erstaunt darüber, wie rasch die als spröde bekannte Katharina Blum mit Götten vertraut, ja fast vertraulich geworden sei.

31.

Es mußten noch drei weitere Teilnehmer des Hausballs vernommen werden. Der selbständige Textilkaufmann Konrad Beiters, 56 Jahre alt, ein Freund von Frau Woltersheim, und das Ehepaar Hedwig und Georg Plotten, 36 bzw. 42 Jahre alt, beide von Beruf Verwaltungsangestellte. Die drei beschrieben den Verlauf des Abends übereinstimmend, vom Eintreffen der Katharina Blum, dem Eintreffen Hertha Scheumels in Begleitung von Ludwig Götten und Claudia Sterm in Begleitung des als Scheich verkleideten Karl an. Im übrigen sei es ein netter Abend gewesen, man habe getanzt, miteinander geplaudert, wobei sich Karl als besonders witzig erwiesen habe.

Störend – wenn man es so nennen könne, denn die beiden hätten es sicher nicht so empfunden –, sagte Georg Plotten – sei die »totale Vereinnahmung von Katharina Blum durch Ludwig Götten« gewesen. Das habe dem Abend einen Ernst, fast etwas Feierliches gegeben, das zu karnevalistischen Veranstaltungen nicht so recht passe. Auch ihr, sagte Frau Hedwig Plotten aus, sei nach dem Weggang von Katharina und Ludwig, als sie in die Küche gegangen sei, um frisches Eis zu holen, aufgefallen, daß der als Karl eingeführte Scheich auf der Toilette Selbstgespräche geführt habe. Übrigens habe sich dieser Karl kurz danach, ohne sich recht zu verabschieden, entfernt.

32.

Katharina Blum, die noch einmal zur Vernehmung vorgeführt wurde, bestätigte das Telefongespräch, das sie mit Hertha Scheumel geführt hatte, bestritt aber nach wie vor, es habe sich um eine Verabredung zwischen ihr und Götten gehandelt. Es wurde ihr nämlich, nicht von Beizmenne, sondern von dem jüngeren der beiden Staatsanwälte, Dr. Korten, nahegelegt, doch zuzugeben, daß, nachdem sie mit Hertha Scheumel telefoniert habe, Götten sie angerufen habe und daß sie auf raffinierte Weise diesen ins Café Polkt geschickt und ihn veranlaßt habe, die Scheumel anzusprechen, um so unauffällig mit ihr bei der Woltersheim zusammenzutreffen. Das sei sehr einfach möglich gewesen, da die Scheumel eine ziemlich aufgedonnerte, auffällige Blondine sei. Katharina Blum, inzwischen fast völlig apathisch, schüttelte nur den Kopf, während sie da saß und die beiden Ausgaben der ZEITUNG nach wie vor mit der rechten Hand umklammerte. Sie wurde dann entlassen und verließ gemeinsam mit Frau Woltersheim und deren Freund Konrad Beiters das Präsidium.

33.

Als man die unterschriebenen Vernehmungsprotokolle noch einmal durchsprach und auf mögliche Befragungslücken überprüfte, warf Dr. Korten die Frage auf, ob man denn nun nicht ernsthaft versuchen müsse, dieses Scheichs mit dem Namen Karl habhaft zu werden und dessen höchst obskure Rolle in dieser Sache zu untersuchen. Er sei doch sehr erstaunt, daß noch keinerlei Maßnahmen zu einer Fahndung nach »Karl« eingeleitet worden seien. Schließlich sei doch dieser Karl offensichtlich zusammen, wenn nicht gemeinsam mit Götten im Café Polkt aufgetaucht, habe sich ebenfalls in die Party gedrängt, und seine Rolle erscheine ihm, Korten, doch recht undurchsichtig, wenn nicht verdächtig.

Hier brachen nun alle Anwesenden in Lachen aus, sogar die zurückhaltende Kriminalbeamtin Pletzer erlaubte sich ein Lächeln. Die Protokollführerin, Frau Anna Lockster, lachte so vulgär, daß sie von Beizmenne zurechtgewiesen werden mußte. Und da Korten immer noch nicht begriff, klärte ihn sein Kollege Hach schließlich auf. Ob Korten denn nicht klargeworden oder gar aufgefallen sei, daß Kommissar Beizmenne den Scheich absichtlich übergangen oder unerwähnt gelassen habe? Es sei doch offensichtlich, daß er einer »unserer Leute« sei und das angebliche Selbstgespräch auf der Toilette nichts weiter als eine – allerdings ungeschickt betriebene – Benachrichtigung seiner Kollegen per Minifunkgerät, die Verfolgung des Götten und der Blum, deren Adresse natürlich inzwischen bekannt gewesen sei, aufzunehmen.

»Und gewiß ist Ihnen ebenfalls klar, Herr Kollege, daß in dieser Karnevalssaison Scheichkostüme die beste Tarnung sind, denn heuer sind aus naheliegenden Gründen Scheichs beliebter als Cowboys.« »Natürlich«, fügte Beizmenne hinzu, »war uns von vornherein klar, daß der Karneval es den Banditen erleichtern würde unterzutauchen und es uns erschweren würde, auf der heißen Spur zu bleiben, denn Götten wurde schon seit sechsunddreißig Stunden auf Schritt und Tritt verfolgt. Götten, der übrigens nicht verkleidet war, hatte auf einem Parkplatz, von dem er später den Porsche stahl, in einem VW-Bus übernachtet, hatte später in einem Café gefrühstückt, auf dessen Toilette er sich rasierte und umzog. Wir haben ihn keine Minute aus dem Auge verloren, etwa ein Dutzend als Scheichs, Cowboys und Spanier verkleidete Beamte, alle mit Minifunkgeräten ausgestattet, als verkaterte Ballheimkehrer getarnt, waren auf seiner Spur, um Kontaktversuche sofort zu melden. Die Personen, mit denen Götten bis zum Betreten des Café Polkt in Berührung kam, sind alle erfaßt und überprüft worden:

ein Schankkellner, an dessen Theke er Bier trank

zwei Mädchen, mit denen er in einem Altstadtlokal tanzte

ein Tankwart in der Nähe Holzmarkt, wo er den gestohlenen
    Porsche auftankte

ein Mann am Zeitungskiosk in der Matthiasstraße

ein Verkäufer in einem Zigarettenladen

ein Bankbeamter, bei dem er siebenhundert amerikanische
    Dollar tauschte, die wahrscheinlich aus einem Bankraub
    stammen.

Alle diese Personen sind eindeutig als Zufalls-, nicht als Plankontakte identifiziert worden, und keins der mit jeder einzelnen Person gewechselten Worte läßt Rückschlüsse auf einen Code zu. Ich lasse mir aber nicht einreden, daß die Blum ebenfalls ein Zufallskontakt war. Ihr Telefongespräch mit der

Scheumel, die Pünktlichkeit, mit der sie bei der Woltersheim auftauchte, auch die verfluchte Innigkeit und Zärtlichkeit, mit der die beiden von der ersten Sekunde an getanzt haben – und wie rasch sie dann miteinander abgezischt sind –, alles spricht gegen Zufall. Vor allem aber die Tatsache, daß sie ihn angeblich ohne Abschied hat gehen lassen und ihm ganz offensichtlich einen Weg aus dem Wohnblock gezeigt hat, der unserer strengen Überwachung entgangen sein muß. Wir haben den Wohnblock, d. h. das Gebäude innerhalb des Wohnblocks, in dem sie wohnt, keinen Augenblick aus dem Auge verloren. Natürlich konnten wir nicht das gesamte Areal von fast eineinhalb Quadratkilometern total überwachen. Sie muß einen Fluchtweg gekannt und ihn ihm gezeigt haben, außerdem bin ich sicher, daß sie für ihn – und möglicherweise für andere – als Quartiermacherin fungiert hat und genau weiß, wo er sich befindet. Die Häuser ihrer Arbeitgeber sind schon gecheckt worden, wir haben in ihrem Heimatdorf Recherchen angestellt, die Wohnung von Frau Woltersheim ist, während sie hier vernommen wurde, noch einmal gründlich untersucht worden. Nichts. Mir scheint es am besten, sie frei umherlaufen zu lassen, damit sie einen Fehler begeht, und wahrscheinlich führt die Spur zu seinem Quartier über diesen ominösen Herrenbesuch, und ich bin sicher, daß die Spur zum Fluchtweg innerhalb des Wohnblocks über Frau Blorna führt, die wir ja inzwischen auch als die ›rote Trude‹ kennen und die an der Planung des Blocks mitgewirkt hat.«

34.

Hier sollte erkannt werden, daß der erste Rückstau fast beendet ist, man vom Freitag wieder zum Samstag gelangt. Es wird alles getan werden, weitere Stauungen, auch überflüssigen Spannungsstau zu vermeiden. Ganz vermieden werden können sie wahrscheinlich nicht.

Es mag doch vielleicht aufschlußreich sein, daß Katharina Blum nach der abschließenden Vernehmung am Freitagnachmittag Else Woltersheim und Konrad Beiters bat, sie doch zunächst in ihre Wohnung zu fahren und – bitte, bitte – mit hinaufzugehen. Sie gab an, daß sie Angst habe, es sei ihr nämlich in jener Donnerstagnacht, kurz nachdem sie mit Götten telefoniert habe (jeder Außenstehende sollte an der Tatsache, daß sie, wenn auch nicht bei der Vernehmung, offen über ihre telefonischen Kontakte mit Götten sprach, ihre Unschuld erkennen!) etwas ganz und gar Scheußliches passiert. Kurz nachdem sie mit Götten telefoniert, den Hörer gerade aufgelegt habe, habe wieder das Telefon geklingelt, sie habe, in der »wilden Hoffnung«, es sei wieder Götten, sofort den Hörer abgenommen, aber es sei nicht Götten am Apparat gewesen, sondern eine »fürchterlich leise« Männerstimme habe ihr »fast flüsternd« lauter »gemeine Sachen« gesagt, schlimme Dinge, und das schlimmste sei, der Kerl habe sich als Hausbewohner ausgegeben und gesagt, warum sie, wenn sie so auf Zärtlichkeit aus sei, so weit hergeholte Kontakte suche, er sei bereit und auch in der Lage, ihr jede, aber auch jede Art von Zärtlichkeit zu bieten. Ja, es sei dieser Anruf der Grund gewesen, warum sie noch in der Nacht zu Else gekommen sei. Sie habe Angst, sogar Angst vor dem Telefon, und da Götten ihre, sie aber nicht Göttens Telefonnummer habe, hoffe sie immer noch auf einen Anruf, fürchte aber gleichzeitig das Telefon.

Nun, es soll hier nicht vorenthalten werden, daß der Blum weitere Schrecken bevorstanden. Zunächst einmal: ihr Briefkasten, der bisher in ihrem Leben eine sehr geringe Rolle gespielt, in den sie meistens nur, »weil man's eben tut«, aber ohne Erfolg hineingeschaut hatte. An diesem Freitagmorgen quoll er regelrecht über, und keineswegs zu Katharinas Freude. Denn, obwohl Else W. und Beiters alles taten, um Briefe, Drucksachen abzufangen, ließ sie sich nicht beirren, schaute, wohl in der Hoffnung auf ein Lebenszeichen von ihrem lieben Ludwig, alle Postsachen – insgesamt etwa zwanzig – durch, offenbar ohne etwas von Ludwig zu finden, und stopfte den Kram in ihre Handtasche. Schon die Fahrt im Aufzug war eine Qual, da zwei Mitbewohner ebenfalls hochfuhren. Ein (es muß gesagt werden, obwohl es unglaubwürdig klingt) als Scheich verkleideter Herr, der sich in offensichtlicher Distanzierungsqual in die Ecke drückte, zum Glück aber schon im vierten Stock ausstieg, und eine (es klingt verrückt, aber was wahr ist, ist wahr) als Andalusierin verkleidete Dame, die, durch eine Gesichtsmaske gedeckt, keineswegs von Katharina abrückte, sondern direkt neben ihr stehenblieb und sie aus »frechen, harten, braunen Augen« dreist und neugierig musterte. Sie fuhr über den achten Stock hinaus.

Zur Warnung: es kommt noch schlimmer. Endlich in ihrer Wohnung, bei deren Betreten sich Katharina regelrecht an Beiters und Frau W. anklammerte, klingelte das Telefon, und hier war Frau W. schneller als Katharina, sie rannte los, nahm den Hörer ab, man sah ihren entsetzten Gesichtsausdruck, sah sie bleich werden, hörte sie »Sie verdammte Sau, Sie verdammte feige Sau« murmeln, und klugerweise legte sie den Hörer nicht wieder auf, sondern neben die Gabel.

Vergeblich versuchten Frau W. und Beiters gemeinsam, Katharina ihre Post zu entreißen, sie hielt den Packen Briefe und Drucksachen fest umklammert, zusammen mit den beiden Ausgaben der ZEITUNG, die sie ebenfalls ihrer Tasche entnommen hatte, und bestand darauf, die Briefschaften zu öffnen. Es war nichts zu machen. Sie las das alles!

Es war nicht alles anonym. Ein nicht anonymer Brief – der umfangreichste – kam von einem Unternehmen, das sich *Intim-Versandhaus* nannte und ihr alle möglichen Sex-Artikel anbot. Das war für Katharinas Gemüt schon ziemlich starker Tobak, schlimmer noch, daß jemand handschriftlich dazugeschrieben hatte: »*Das* sind die wahren Zärtlichkeiten«.

Um es kurz, oder noch besser: statistisch zu machen: von den weiteren achtzehn Briefschaften waren

sieben anonyme Postkarten, handschriftlich mit »derben« sexuellen Offerten, die alle irgendwie das Wort »Kommunistensau« verwendet hatten

vier weitere anonyme Postkarten enthielten politische Beschimpfungen ohne sexuelle Offerten. Es ging von »roter Wühlmaus« bis »Kreml-Tante«

fünf Briefe enthielten Ausschnitte aus der ZEITUNG, die zum größeren Teil, etwa drei bis vier – mit roter Tinte am Rand kommentiert waren, u. a. folgenden Inhalts: »Was Stalin nicht geschafft hat, Du wirst es auch nicht schaffen«

zwei Briefe enthielten religiöse Ermahnungen, in beiden Fällen auf beigelegte Traktate geschrieben »Du mußt wieder beten lernen, armes, verlorenes Kind« und »knie nieder und bekenne, Gott hat dich noch nicht aufgegeben«.

Und erst in diesem Augenblick entdeckte Else W. einen unter die Tür geschobenen Zettel, den sie zum Glück tatsächlich vor Katharina verbergen konnte: »Warum machst du keinen Gebrauch von meinem Zärtlichkeitskatalog? Muß ich dich zu deinem Glück zwingen? Dein Nachbar, den du so schnöde abgewiesen hast. Ich warne dich.« Das war in Druckschrift geschrieben, an der Else W. akademische, wenn nicht ärztliche Bildung zu erkennen glaubte.

35

Es ist schon erstaunlich, daß weder Frau W. noch Konrad B. erstaunt waren, als sie nun, ohne an irgendeine Form des Eingreifens zu denken, beobachteten, wie Katharina an die kleine Hausbar in ihrem Wohnraum ging, je eine Flasche Sherry, Whisky, Rotwein und eine angebrochene Flasche Kirschsirup herausnahm und ohne sonderliche Erregung gegen die makellosen Wände warf, wo sie zerschellten, zerflossen.

Das gleiche machte sie in ihrer kleinen Küche, wo sie Tomatenketchup, Salatsauce, Essig, Worcestersauce zum gleichen Zweck benutzte. Muß hinzugefügt werden, daß sie gleiches in ihrem Badezimmer mit Cremetuben, -flaschen, Puder, Pulvern, Badeingredienzien – und in ihrem Schlafzimmer mit einem Flacon Kölnisch Wasser tat?

Dabei wirkte sie planvoll, keineswegs erregt, so überzeugt und überzeugend, daß Else W. und Konrad B. nichts unternahmen.

36.

Es hat natürlich ziemlich viele Theorien gegeben, die den Zeitpunkt herauszuanalysieren versuchten, an dem Katharina die ersten Mordabsichten faßte oder den Mordplan ausdachte und sich dazu entschloß, ihn auszuführen. Manche denken, daß schon der erste Artikel am Donnerstag in der ZEITUNG genügt habe, wieder andere halten den Freitag für den entscheidenden Tag, weil an diesem Tag die ZEITUNG immer noch keinen Frieden gab und Katharinas Nachbarschaft und Wohnung, an der sie so hing, sich als (subjektiv jedenfalls)

zerstört erwies; der anonyme Anrufer, die anonyme Post –
und dann noch die ZEITUNG vom Samstag und außerdem
(hier wird vorgegriffen!) die SONNTAGSZEITUNG. Sind
solche Spekulationen nicht überflüssig: Sie hat den Mord
geplant und ausgeführt – und damit basta! Gewiß ist, daß sich
in ihr etwas »gesteigert hat« – daß die Äußerungen ihres
ehemaligen Ehemanns sie besonders aufgebracht haben, und
ganz gewiß ist, daß alles, was dann in der SONNTAGSZEI-
TUNG stand, wenn nicht auslösend, so doch keineswegs
beruhigend gewirkt haben kann.

37.

Bevor der Rückstau endgültig als beendet betrachtet werden
und wieder auf Samstag geblendet werden kann, muß nur
noch über den Verlauf des Freitagabends und der Nacht von
Freitag auf Samstag bei Frau Woltersheim berichtet werden.
Gesamtergebnis: überraschend friedlich. Ablenkungsversu-
che von Konrad Beiters, der Tanzmusik auflegte, südameri-
kanische sogar, und Katharina zum Tanzen bewegen wollte,
scheiterten zwar, es scheiterte auch der Versuch, Katharina
von der ZEITUNG und ihrer anonymen Post zu trennen;
was ebenfalls scheiterte, war der Versuch, das alles als nicht so
schrecklich wichtig und vorübergehend darzustellen. Hatte
man nicht Schlimmeres überstanden: das Elend der Kindheit,
die Ehe mit diesem miesen Brettloh, die Trunksucht und
»milde ausgedrückt Verkommenheit von Mutter, die ja letzten Endes doch auch für Kurts Straucheln verantwortlich ist«.
War Götten nicht zunächst in Sicherheit und sein Versprechen, sie zu holen, ernst zu nehmen? War nicht Karneval, und
war man nicht finanziell gesichert? Gab's nicht so furchtbar

nette Leute wie die Blornas, die Hiepertz, und war nicht auch
der »eitle Fatzke« – man scheute sich immer noch, den Herrenbesuch beim Namen zu nennen – im Grunde eine belusti-
gende und keineswegs eine bedrückende Erscheinung? Da
widersprach Katharina und verwies auf den »idiotischen Ring
und den affigen Briefumschlag«, die sie beide fürchterlich in
die Klemme gebracht und sogar Ludwig in Verdacht gebracht
hätten. Hatte sie wissen können, daß dieser Fatzke sich seine
Eitelkeit so viel würde kosten lassen? Nein, nein, belustigend
fand sie den nun gar nicht. Nein. Als man praktische Dinge
besprach – etwa, ob sie denn eine neue Wohnung suchen und
ob man nicht schon überlegen solle, wo –, wich Katharina aus
und sagte, das einzig praktische, was sie vorhabe, wäre, sich
ein Karnevalskostüm zu machen, und sie bat Else leihweise
um ein großes Bettuch, denn sie habe vor, angesichts der
Scheichmode selbst am Samstag oder Sonntag als Beduinenfrau »loszuziehen«. Was ist denn eigentlich Schlimmes passiert? Fast nichts, wenn man es genau betrachtet, oder besser
gesagt: fast nur Positives, denn immerhin hat Katharina den,
»der da kommen sollte«, wirklich getroffen, hat mit ihm »eine
Liebesnacht verbracht«, nun gut, sie ist verhört bzw. vernommen worden, und offenbar ist Ludwig wirklich »kein
Schmetterlingsfänger«. Dann hat es den üblichen Dreck in
der ZEITUNG gegeben, ein paar Säue haben anonym angerufen, andere haben anonym geschrieben. Geht denn das
Leben nicht weiter? Ist Ludwig nicht bestens – und wie nur
sie, sie ganz allein weiß, geradezu komfortabel untergebracht? Jetzt nähen wir ein Karnevalskostüm, in dem Katharina entzückend aussehen wird, einen weißen Frauenburnus;
hübsch wird sie darin »losziehen«.

Schließlich verlangt sogar die Natur ihr Recht, und man
schläft ein, nickt ein, erwacht wieder, nickt wieder ein. Trinkt
man schließlich ein Gläschen miteinander? Warum nicht? Ein

durch und durch friedliches Bild: eine junge Frau, die über einer Näharbeit eingenickt ist, während eine ältere Frau und ein älterer Mann sich vorsichtig um sie herumbewegen, damit »die Natur ihr Recht bekommt«. Die Natur bekommt so sehr recht, daß Katharina nicht einmal vom Telefon, das gegen zweieinhalb Uhr früh klingelt, geweckt wird. Wieso fangen plötzlich der nüchternen Frau Woltersheim die Hände an zu flattern, wenn sie den Telefonhörer ergreift? Erwartet sie anonyme Zärtlichkeiten, wie sie sie ein paar Stunden vorher erfahren hat? Natürlich ist zweieinhalb Uhr morgens eine bange Zeit zum Telefonieren, aber sie ergreift den Hörer, den ihr Beiters sofort aus der Hand nimmt, und als er »Ja?« sagt, wird sofort wieder aufgelegt. Und es klingelt wieder, und wieder wird, sobald er aufgenommen, noch bevor er »Ja?« gesagt hat, aufgelegt. Natürlich gibt es auch Leute, die einem den Nerv töten wollen, seitdem sie aus der ZEITUNG erfahren haben, wie man heißt und wo man wohnt, und es ist besser, den Hörer nicht mehr aufzulegen.

Und da hat man sich vorgenommen, Katharina wenigstens vor der Samstagsausgabe der ZEITUNG zu bewahren, sie aber hat ein paar Augenblicke wahrgenommen, in denen Else W. eingeschlafen ist und Konrad B. sich im Badezimmer rasiert, ist auf die Straße geschlichen, wo sie in der Morgendämmerung den ersten besten ZEITUNGSkasten aufgerissen und eine Art Sakrileg begangen hat, denn sie hat das VERTRAUEN der ZEITUNG mißbraucht, indem sie eine ZEITUNG herausnahm, ohne zu bezahlen! In diesem Augenblick kann der Rückstau für vorläufig beendet erklärt werden, denn es ist genau um die Zeit, in der die Blornas an eben diesem Samstag zerknittert, gereizt und traurig aus dem Nachtzug steigen und die gleiche Ausgabe der ZEITUNG erwischen, die sie später zu Hause studieren werden.

38

Bei Blornas ist ein ungemütlicher Samstagmorgen, äußerst ungemütlich, nicht nur wegen der fast schlaflosen, zerrüttelten und verschüttelten Nacht im Schlafwagen, nicht nur wegen der ZEITUNG, von der Frau Blorna sagte, diese Pest verfolge einen in die ganze Welt, nirgendwo sei man sicher; ungemütlich nicht nur wegen der vorwurfsvollen Telegramme einflußreicher Freunde und Geschäftsfreunde, von der »Lüstra«, auch Hachs wegen, den man zu früh, einfach zu früh (und auch wieder zu spät, wenn man bedachte, daß man ihn besser schon am Donnerstag angerufen hätte) am Tage anrief. Er war nicht sehr freundlich, sagte, die Vernehmung von Katharina sei abgeschlossen, er könne nicht sagen, ob ein Verfahren gegen sie eröffnet würde, im Augenblick bedürfe sie sicher des Beistands, aber noch nicht eines Rechtsbeistandes. Hatte man vergessen, daß Karneval war und auch Staatsanwälte ein Recht auf einen Feierabend und gelegentliche Feiern haben? Nun, immerhin kennt man sich schon seit 24 Jahren, hat miteinander studiert, gepaukt, Lieder gesungen, sogar Wanderungen gemacht, und da nimmt man die ersten Minuten schlechter Laune nicht so wichtig, zumal man selbst sich so äußerst ungemütlich fühlt, aber dann – und das von einem Staatsanwalt – die Bitte, Weiteres doch lieber mündlich und nicht gerade fernmündlich zu besprechen. Ja, belastet sei sie, manches sei äußerst unklar, aber nicht mehr, vielleicht später am Nachmittag mündlich. Wo? In der Stadt. Ambulierenderweise am besten. Im Foyer des Museums. Sechzehnuhrdreißig. Keine telefonische Verbindung mit Katharinas Wohnung, keine mit Frau Woltersheim, keine beim Ehepaar Hiepertz.

Ungemütlich auch, daß das Fehlen von Katharinas ordnender Hand so rasch und so deutlich spürbar wurde. Wie kommt es bloß, daß innerhalb einer halben Stunde, obwohl man doch nur Kaffee aufgegossen, Knäckebrot, Butter und Honig aus den Schrank geholt und die paar Gepäckstücke in die Diele gestellt hat, schon das Chaos ausgebrochen zu sein scheint, und schließlich wurde sogar Trude gereizt, weil er sie immer wieder und immer wieder fragte, wo sie denn da einen Zusammenhang sehe zwischen Katharinas Affäre und Alois Sträubleder oder gar Lüding, und sie ihm so gar nicht entgegenkam, nur immer wieder in ihrer gespielt naiv-ironischen Art, die er sonst mochte, an diesem Morgen aber gar nicht schätzte, auf die beiden Ausgaben der ZEITUNG verwies, und ob ihm da nicht ein Wort besonders aufgefallen sei, und als er fragte welches, verweigerte sie die Auskunft mit dem sarkastischen Hinweis, sie wolle seinen Scharfsinn auf die Probe stellen, und er las wieder und wieder »diesen Dreck, diesen verfluchten Dreck, der einen über die ganze Welt hin verfolgt«, las es immer wieder, unkonzentriert, weil der Ärger über seine verfälschte Äußerung und die »rote Trude« immer wieder hochkam, bis er schließlich kapitulierte und Trude demütig bat, ihm doch zu helfen; er sei so außer sich, daß sein Scharfsinn versage, und außerdem sei er ja seit Jahren nur noch als Industrie-, kaum noch als Kriminalanwalt tätig, woraufhin sie trocken sagte »Leider«, dann aber Erbarmen zeigte und sagte »fällt dir denn das Wort Herrenbesuch nicht auf, und ist dir nicht aufgefallen, daß ich das Wort Herrenbesuch auf die Telegramme bezogen habe? Würde etwa jemand diesen Götting – nein Götten, schau dir doch seine Fotos mal genau an –, würde jemand ihn, ganz gleich, wie er gekleidet sein mag, denn als Herrenbesuch bezeichnen? Nein, nicht wahr, so etwas nennt man in der Sprache freiwillig spitzelnder Mitbewohner immer noch Männerbesuch, und ich verwandle mich auf der Stelle in eine Prophetin und sage dir, daß wir innerhalb von spätestens einer Stunde ebenfalls Herrenbesuch bekommen, und was ich dir außerdem prophezeie: Ärger, Konflikte – und möglicherweise das Ende einer alten Freundschaft, Ärger auch mit deiner roten Trude, und mehr als Ärger mit Katharina, die zwei lebensgefährliche Eigenschaften hat: Treue und Stolz, und sie wird niemals, niemals zugeben, daß sie diesem Jungen einen Fluchtweg gezeigt hat, den wir, sie und ich, gemeinsam studiert haben. Ruhig, mein Liebster, ruhig: es wird nicht rauskommen, aber genaugenommen bin ich schuld, daß dieser Götting, nein Götten, ungesehen aus ihrer Wohnung verschwinden konnte. Du erinnerst dich sicher nicht mehr, daß ich einen Plan der gesamten Heizungs-, Lüftungs-, Kanalisations- und Leitungsanlagen von ›Elegant am Strom wohnen‹ in meinem Schlafzimmer hängen hatte. Da waren die Heizungsschächte rot, die Lüftungsschächte blau, die Kabelleitungen grün und die Kanalisation gelb eingezeichnet. Dieser Plan hat Katharina derart fasziniert – wo sie doch selbst so eine ordentliche, planende, fast genial planende Person ist –, daß sie immer lange davorstand und mich immer wieder nach Zusammenhängen und Bedeutungen dieses ›abstrakten Gemäldes‹ – so nannte sie es – fragte, und ich, ich war drauf und dran, ihr eine Kopie davon zu besorgen und zu schenken. Ich bin ziemlich erleichtert, daß ich's nicht getan habe, stell dir vor, man hätte eine Kopie des Plans bei ihr gefunden – dann wäre die Verschwörungstheorie, die Idee des Umschlagplatzes perfekt untermauert, die Verbindung – Rote-Trude-Banditen – Katharina-Herrenbesuch. So ein Plan wäre natürlich für alle Sorten von Ein- und Ehebrechern, die nicht gesehen werden wollen, eine ideale Anleitung, ungesehen ein- und auszugehen. Ich selbst habe ihr noch erklärt, welche Höhe die einzelnen Gänge haben: wo man aufrecht gehen, wo man gebückt gehen kann, wo man kriechen muß, bei Rohrbrüchen und Kabelpannen. So, nur so kann dieser liebenswürdige junge Gentleman, von dessen Zärtlichkeiten sie jetzt nur noch träumen darf, der Polizei tritschen gegangen sein, und wenn er wirklich ein Bankräuber ist, wird er das System durchschaut haben. Vielleicht ist auch der Herrenbesuch so ein- und ausgegangen. Diese modernen Wohnblocks erfordern ganz andere Überwachungsmethoden als die altmodischen Mietshäuser. Du mußt der Polizei und der Staatsanwaltschaft gelegentlich mal 'nen Tip geben. Die bewachen die Haupteingänge, vielleicht das Foyer und den Aufzug, aber da gibt es außerdem einen Arbeitsaufzug, der direkt in den Keller führt – und da kriecht einer ein paar hundert Meter, hebt nur irgendwo einen Kanaldeckel und ist perdu. Glaub mir: jetzt hilft nur noch beten, denn Schlagzeilen in der ZEITUNG in diesem oder jenem Zusammenhang kann er nicht brauchen, was er jetzt braucht, ist eine direkte handfeste Manipulation der Ermittlungen und der Berichterstattung darüber, und was er ebenso fürchtet wie die Schlagzeilen, ist das bittere und säuerliche Gesicht einer gewissen Maud, die seine ihm rechtmäßig und kirchlich angetraute Frau ist, von der er außerdem vier Kinder hat. Hast du denn nie bemerkt, wie ›jungenhaft fröhlich‹, fast ausgelassen – und ich muß schon sagen: richtig nett er die paar Mal mit Katharina getanzt hat, und wie er sich geradezu aufdrängte, sie nach Hause zu bringen – und wie jungenhaft enttäuscht er war, als sie ihren eigenen Wagen anschaffte? Das, was er brauchte, wonach sein Herz begehrte, so ein einmalig nettes Ding wie Katharina, nicht leichtfertig und doch – wie nennt ihr das doch – liebesfähig, ernst und doch jung und so hübsch, daß sie's selber nicht wußte. Hat sie nicht auch dein Männerherz ein wenig erfreut?«

Ja, ja das hatte sie: sein Männerherz erfreut, und er gab es zu, gab auch zu, daß er sie mehr, viel mehr als nur gern habe, und sie, Trude, wisse doch, daß jeder, nicht nur Männer, mal so Anwandlungen hätten, einfach mal jemand so in den Arm zu nehmen und vielleicht mehr – aber Katharina, nein, es war da etwas, das ihn nie, niemals zum Herrenbesuch bei ihr gemacht hätte, und wenn ihn etwas gehindert habe, ja es ihm unmöglich gemacht habe, zum Herrenbesuch zu werden – oder besser gesagt: das zu versuchen –, so wäre es nicht, und sie wisse, wie er das meine, nicht der Respekt vor ihr und die Rücksichtnahme auf sie, Trude, gewesen, sondern Respekt vor Katharina, ja, Respekt, fast Ehrfurcht, mehr, liebevolle Ehrfurcht vor ihrer, ja verdammt, Unschuld – und mehr, mehr als Unschuld, für das er keinen Ausdruck finde. Es sei wohl dieses merkwürdige, herzliche Kühle an Katharina und – obwohl er fünfzehn Jahre älter sei als Katharina und es weiß Gott im Leben zu was gebracht habe – wie Katharina ihr verkorkstes Leben angepackt, geplant, organisiert habe – das habe ihn, hätte er überhaupt je Gedanken dieser Art gehabt, gehindert, weil er Angst gehabt habe, sie oder ihr Leben zu zerstören – denn sie sei so verletzlich, so verdammt verletzlich, und er würde, wenn sich herausstellen sollte, daß Alois wirklich der Herrenbesuch gewesen sei, er würde ihm – schlicht gesagt – einen »in die Fresse hauen«; ja, man müsse ihr helfen, helfen, sie sei diesen Tricks, diesen Verhören, diesen Vernehmungen nicht gewachsen – und nun sei es zu spät, und er müsse, müsse im Laufe des Tages Katharina auftreiben ... aber hier wurde er in seinen aufschlußreichen Meditationen unterbrochen, weil Trude mit ihrer unvergleichlichen Trockenheit feststellte: »Der Herrenbesuch ist soeben vorgefahren.«

39.

Es soll hier gleich festgestellt werden, daß Blorna Sträubleder, der da tatsächlich in einem bombastischen Mietwagen vorgefahren war, nicht in die Fresse schlug. Es soll hier nicht nur möglichst wenig Blut fließen, auch die Darstellung körperlicher Gewalt soll, wenn sie schon nicht vermieden werden kann, auf jenes Minimum beschränkt werden, das die Pflicht der Berichterstattung auferlegt. Das bedeutet nicht, daß es nun etwa gemütlicher wurde bei den Blornas, im Gegenteil: es wurde noch ungemütlicher, denn Trude B. konnte sich nicht verkneifen, den alten Freund, während sie weiterhin in ihrer Kaffeetasse rührte, mit den Worten zu begrüßen »Hallo, Herrenbesuch«. »Ich nehme an«, sagte Blorna verlegen, »Trude hat mal wieder den Nagel auf den Kopf getroffen.« »Ja«, sagte Sträubleder, »fragt sich nur, ob das immer taktvoll ist.«

Es kann hier festgestellt werden, daß es zu fast unerträglichen Spannungen zwischen Frau Blorna und Alois Sträubleder gekommen war, als jener einmal sie nicht gerade verführen, aber doch erheblich mit ihr flirten wollte und sie ihm – auf ihre trockene Art – zu verstehen gab, daß er sich für unwiderstehlich halte, es aber nicht sei, jedenfalls für sie nicht. Unter diesen Umständen wird man verstehen, daß Blorna Sträubleder sofort in sein Arbeitszimmer führte und seine Frau bat, sie allein zu lassen und in der Zwischenzeit (»Zeit zwischen was?« fragte Frau Blorna) alles, alles zu tun, um Katharina aufzutreiben.

40.

Warum kommt einem plötzlich sein eigenes Arbeitszimmer so scheußlich vor, fast durcheinander und schmutzig, obwohl kein Stäubchen zu entdecken ist und alles am rechten Platz? Was macht die roten Ledersessel, in denen man so manches gute Geschäft abgewickelt und so manches vertrauliche Gespräch geführt hat, in denen man wirklich bequem sitzen und Musik hören kann, plötzlich so widerwärtig, sogar die Bücherregale ekelhaft und den handsignierten Chagall an der Wand geradezu verdächtig, als wäre es eine vom Künstler selbst ausgeführte Fälschung? Aschenbecher, Feuerzeug, Whiskyflacon – was hat man gegen diese harmlosen, wenn auch kostspieligen Gegenstände? Was macht einen so ungemütlichen Tag nach einer äußerst ungemütlichen Nacht so unerträglich und die Spannung zwischen alten Freunden so stark, daß die Funken fast überspringen? Was hat man gegen die Wände, die, sanftgelb rauhfaserüberpinselt, mit moderner, mit Gegenwartsgraphik geschmückt sind?

»Ja, ja«, sagte Alois Sträubleder, »ich bin eigentlich nur gekommen, um dir zu sagen, daß ich in *dieser* Sache deine Hilfe nicht mehr brauche. Du hast mal wieder die Nerven verloren, auf dem Flugplatz da im Nebel. Eine Stunde nachdem ihr die Nerven oder die Geduld verloren habt, hat sich nämlich der Nebel gelichtet, und ihr hättet immer noch gegen 18.30 Uhr hier sein können. Ihr hättet sogar bei ein wenig ruhigem Nachdenken noch in München den Flughafen anrufen, herausfinden können, daß keine Behinderung mehr vorlag. Aber Schwamm darüber. Um nicht mit falschen gezinkten Karten zu spielen – selbst wenn kein Nebel gewesen und das Flugzeug planmäßig abgeflogen wäre, wärst du zu spät gekommen, weil der entscheidende Teil der Vernehmung dann längst abgeschlossen gewesen und im übrigen nichts mehr zu verhindern gewesen wäre.«

»Ich kann gegen die ZEITUNG ohnehin nicht an«, sagte Blorna.

»Die ZEITUNG«, sagte Sträubleder, »stellt keine Gefahr dar, das hat Lüding in der Hand, aber es gibt ja auch noch Zeitungen, und ich kann jede Art von Schlagzeilen gebrauchen, nur diese Art nicht, die mich mit den Banditen in Verbindung bringt. Eine romantische Frauengeschichte bringt mich höchstens privat in Schwierigkeiten, nicht öffentlich. Da würde nicht einmal ein Foto mit einer so attraktiven Frau wie Katharina Blum schaden, im übrigen wird die Herrenbesuchstheorie fallengelassen und weder Schmuck noch Brief – nun ja, ich habe ihr einen ziemlich kostbaren Ring geschenkt, den man gefunden hat, und ein paar Briefe geschrieben, von denen man nur einen Umschlag gefunden hat – werden Schwierigkeiten bereiten. Schlimm ist, daß dieser Tötges unter einem anderen Namen für Illustrierte die Sachen schreibt, die er in der ZEITUNG nicht bringen darf, und daß – nun ja – Katharina ihm ein Exklusivinterview versprochen hat. Ich habe das vor wenigen Minuten von Lüding erfahren, der auch dafür ist, daß Tötges das Interview wahrnimmt, weil man ja die ZEITUNG in der Hand hat, aber man hat keinen Einfluß auf Tötges' weitere journalistischen Aktivitäten, die er über einen Strohmann abwickelt. Du scheinst überhaupt nicht informiert zu sein, wie?« »Ich habe keine Ahnung«, sagte Blorna.

»Ein merkwürdiger Zustand für einen Anwalt, dessen Mandant ich immerhin bin; das kommt davon, wenn man in Rüttel- und Schüttelzügen sinnlos Zeit verplempert, anstatt sich einmal mit Wetterämtern in Verbindung zu setzen, die einem hätten sagen können, daß der Nebel sich bald lichten wird. Du hast also offenbar noch keine Verbindung mit ihr?«

»Nein, du denn?«

»Nein, nicht direkt. Ich weiß nur, daß sie vor ungefähr einer Stunde bei der ZEITUNG angerufen und Tötges für morgen nachmittag ein Exklusiv-Interview versprochen hat. Er hat angenommen. Und es ist da noch eine Sache, die mir mehr, bedeutend mehr Kummer, die mir regelrecht Magenschmerzen verursacht« (hier wirkte Sträubleders Gesicht fast bewegt und seine Stimme bekümmert), »du kannst mich ab morgen beschimpfen, soviel du willst, weil ich euer Vertrauen ja wirklich mißbraucht habe – aber andererseits leben wir ja wirklich in einem freien Land, wo es auch gestattet ist, ein freies Liebesleben zu führen, und du mußt mir glauben, ich würde alles tun, um ihr zu helfen, ich würde sogar meinen Ruf aufs Spiel setzen, denn – du darfst getrost lachen – ich liebe diese Frau, nur: ihr ist nicht mehr zu helfen – mir ist noch zu helfen – sie läßt sich einfach nicht helfen . . .«

»Und gegen die ZEITUNG kannst du ihr auch nicht helfen, gegen diese Schweine?«

»Mein Gott, du mußt das nicht so schwernehmen mit der ZEITUNG, auch wenn sie euch jetzt ein bißchen in die Zange nehmen. Wir wollen uns doch hier nicht über Boulevardjournalismus und Pressefreiheit streiten. Kurz gesagt, ich hätte gern, wenn du bei dem Interview dabeisein könntest, als mein *und* ihr Anwalt. Das Heikelste ist nämlich bisher weder bei den Vernehmungen noch in der Presse herausgekommen: ich habe ihr vor einem halben Jahr den Schlüssel zu unserem Zweithaus in Kohlforstenheim regelrecht aufgedrängt. Den Schlüssel hat man weder bei der Haussuchung noch bei der Leibesvisitation gefunden, aber sie *hat* ihn oder hat ihn wenigstens gehabt, wenn sie ihn nicht einfach weggeworfen hat. Es war einfach Sentimentalität, nenne es wie du willst, aber ich wollte, daß sie einen Schlüssel zum Haus da hat, weil ich die Hoffnung nicht aufgeben wollte, daß sie mich mal da besucht. Glaub mir doch, daß ich ihr helfe, daß ich ihr beistehen, daß ich sogar hingehen würde und bekennen würde: Seht hier, ich bin der Herrenbesuch – aber ich weiß doch: mich würde sie verleugnen, ihren Ludwig nie.«

Es war etwas ganz Neues, Überraschendes in Sträubleders Gesicht, das in Blorna fast Mitleid erweckte, mindestens gewiß aber Neugierde; es war etwas fast Demütiges, oder war es

Eifersucht? »Was war da mit Schmuck, mit Briefen und nun dem Schlüssel?« »Verdammt noch mal, Hubert, begreifst du denn immer noch nicht? Es ist etwas, was ich weder Lüding noch Hach noch der Polizei sagen kann – ich bin sicher, daß sie den Schlüssel ihrem Ludwig gegeben hat und daß dieser Kerl jetzt seit zwei Tagen da hockt. Ich habe einfach Angst, um Katharina, um die Polizeibeamten, auch um diesen dummen jungen Bengel, der da vielleicht in meinem Haus in Kohlforstenheim hockt. Ich möchte, daß er dort verschwindet, bevor sie ihn entdecken, möchte gleichzeitig, daß sie ihn schnappen, damit die Sache ein Ende hat. Verstehst du jetzt? Und zu was rätst du?«

»Du könntest dort anrufen, in Kohlforstenheim, meine ich.«

»Und du glaubst, daß er, wenn er da ist, ans Telefon geht?«

»Dann mußt du die Polizei anrufen, es gibt keinen anderen Weg. Schon um Unheil zu verhüten. Ruf sie notfalls anonym an. Wenn auch nur die geringste Möglichkeit besteht, daß Götten in deinem Haus ist, mußt du sofort die Polizei verständigen. Sonst tue ich es.«

»Damit mein Haus und mein Name doch im Zusammenhang mit diesem Banditen in die Schlagzeilen kommen? Ich dachte an etwas anderes ... ich dachte, daß du vielleicht mal hinfahren könntest, ich meine nach Kohlforstenheim, so als mein Anwalt, um mal nach dem Rechten zu sehen.«

»In diesem Augenblick? Am Karnevalssamstag, wo die ZEITUNG schon weiß, daß ich meinen Urlaub überstürzt abgebrochen habe – und das habe ich nur getan, um in deinem Wochenendhaus nach dem Rechten zu sehen? Ob der Eisschrank noch funktioniert, wie? Ob der Thermostat der Öl-heizung noch richtig eingestellt ist, keine Scheibe eingeworfen, die Bar noch ausreichend bestückt und die Bettwäsche nicht klamm? Dazu kommt ein hochangesehener Industrie-

83

anwalt, der eine Luxusvilla mit Swimming-pool besitzt und mit der ›roten Trude‹ verheiratet ist, überstürzt aus dem Urlaub? Hältst du das wirklich für eine kluge Idee, wo doch ganz sicher die Herren ZEITUNGS-Reporter jede meiner Bewegungen beobachten – ich fahre, sozusagen kaum dem Schlafwagen entstiegen, zu deiner Villa hinaus, um zu sehen, ob die Krokusse bald durchbrechen oder die Schneeglöckchen schon raus sind? Hältst du das wirklich für eine gute Idee – ganz abgesehen davon, daß dieser liebenswürdige Ludwig schon bewiesen hat, daß er ganz gut schießen kann?«

»Verdammt, ich weiß nicht, ob deine Ironie oder deine Witze hier noch angebracht sind. Ich bitte dich als meinen Anwalt und Freund um einen Dienst, der nicht einmal persönlicher, sondern mehr noch staatsbürgerlicher Natur ist – und du kommst mir mit Schneeglöckchen. Diese Sache ist seit gestern so geheim, daß wir seit heute früh keinerlei Informationen mehr von dort bekommen haben. Alles, war wir wissen, wissen wir von der ZEITUNG, zu der Lüding zum Glück gute Beziehungen hat. Staatsanwaltschaft und Polizei telefonieren nicht einmal mehr mit dem Innenministerium, zu dem Lüding ebenfalls gute Beziehungen hat. Es geht um Leben und Tod, Hubert.«

In diesem Augenblick kam Trude ohne anzuklopfen herein, mit dem Transistor in der Hand und sagte ruhig: »Um Tod geht's nicht mehr, nur noch um Leben, Gott sei Dank. Sie haben den Jungen geschnappt, dummerweise hat er geschossen und ist beschossen worden, verletzt, aber nicht lebensgefährlich. In deinem Garten, Alois, in Kohlforstenheim, zwischen Swimming-pool und Pergola. Man spricht von der Nullkommafünf-Millionen-Luxusvilla eines Lüding-Kompagnons. Übrigens gibt es wirklich noch Gentlemen: das erste, was unser guter Ludwig gesagt hat: daß Katharina überhaupt nichts mit der Sache zu tun hat; es sei eine rein private Liebesaffäre, die nicht das geringste mit den Straftaten zu tun habe, die man ihm vorwerfe, die er aber nach wie vor abstreite. Wahrscheinlich mußt du ein paar Scheiben ersetzen lassen, Alois – es ist da ganz schön rumgeballert worden. Dein Name ist noch nicht genannt worden, aber vielleicht solltest du doch Maud anrufen, die sicher erregt und trostbedürftig ist. Übrigens hat man gleichzeitig mit Götten an anderen Orten drei seiner angeblichen Komplizen geschnappt. Das ganze gilt als triumphaler Erfolg eines gewissen Kommissars Beizmenne. Und nun mach dich auf die Socken, lieber Alois, und statte zur Abwechslung deiner guten Frau mal einen Herrenbesuch ab.«

Man kann sich vorstellen, daß es an dieser Stelle in Blornas Arbeitszimmer fast zu körperlichen Auseinandersetzungen gekommen wäre, die dem Milieu und der Ausstattung des Raumes keineswegs entsprachen. Sträubleder soll – *soll* – tatsächlich versucht haben, Trude Blorna an die Kehle zu springen, von ihrem Mann aber daran gehindert und drauf hingewiesen worden sein, daß er sich an einer Dame doch nicht vergreifen wolle. Sträubleder soll – *soll* – daraufhin gesagt haben, er sei sich nicht sicher, ob die Definition Dame auf eine so scharfzüngige Frau noch zutreffe, und es gebe eben Worte, die man in gewissen Zusammenhängen und vor allem, wenn tragische Ereignisse vermeldet würden, nicht ironisch verwenden dürfe, und wenn er noch einmal, noch ein einziges Mal das ominöse Wort zu hören bekomme, dann – ja, was dann – nun, dann sei es aus. Er hatte das Haus noch kaum verlassen, und Blorna hatte noch keine Gelegenheit, Trude zu sagen, sie sei nun doch vielleicht etwas zu weit gegangen, als diese ihm das Wort regelrecht abschnitt und sagte: »Katharinas Mutter ist diese Nacht gestorben. Ich habe sie tatsächlich in Kuir-Hochsackel aufgetrieben.«

41

Bevor die letzten Um-, Ein-, Ablenkungsmanöver gestartet werden, muß hier eine sozusagen technische Zwischenbemerkung gestattet werden. In dieser Geschichte passiert zu viel. Sie ist auf eine peinliche, kaum zu bewältigende Weise handlungsstark: zu ihrem Nachteil. Natürlich ist es ziemlich betrüblich, wenn eine freiberuflich arbeitende Hausangestellte einen Journalisten erschießt, und ein solcher Fall muß aufge- oder wenigstens versuchsweise erklärt werden. Aber was macht man mit Erfolgsanwälten, die einer Hausangestellten wegen den sauer verdienten Skiurlaub abbrechen? Mit Industriellen (die im Nebenberuf Professor und Parteimanager sind), die in einer schon unreifen Sentimentalität eben dieser Hausangestellten Schlüssel zu Zweitwohnungen (und sich selbst dazu) geradezu aufdrängen; beides ohne Erfolg, wie man weiß; die einerseits Publicity wollen, aber nur eine bestimmte Art; lauter Dinge und Leute, die einfach nicht synchronisierbar sind und dauernd den Fluß (bzw. den linearen Handlungsablauf) stören, weil sie sozusagen immun sind. Was macht man mit Kriminalbeamten, die dauernd nach Zäpfchen verlangen und sie auch bekommen? Kürzer gesagt: es ist alles zu durchlässig und doch im entscheidenden Augenblick für einen Berichterstatter nicht durchlässig genug, weil zwar das eine oder andere (etwa von Hach und einigen Polizeibeamten und -beamtinnen) zu erfahren ist, aber nichts, rein gar nichts von dem, was sie sagen, auch nur andeutungsweise beweiskräftig wäre, weil es vor keinem Gericht bestätigt oder auch nur ausgesagt würde. Es hat keine Zeugniskraft! Nicht den geringsten Öffentlichkeitswert. Zum Beispiel diese ganze Zäpfchenaffäre. Das Anzapfen von Telefonleitungen dient natürlich der Ermittlung, das Ergebnis darf aber – da es von einer anderen als der ermittelnden Behörde vorgenommen wird – in einem öffentlichen Verfahren nicht nur nicht verwendet, nicht einmal erwähnt werden. Vor allem: was passiert in der sogenannten Psyche der Telefonzapfer? Was denkt sich ein unbescholtener Beamter, der nichts als seine Pflicht tut, der sozusagen, wenn nicht unter Befehls-, dann aber sicher unter Broterwerbsnotstand seine (ihm möglicherweise widerwärtige) Pflicht tut, was denkt er sich, wenn er mit anhören muß, wie jener unbekannte Hausbewohner, den wir hier kurz den Zärtlichkeitsanbieter nennen wollen, mit einer so ausgesprochen netten, adretten, fast unbescholtenen Person wie Katharina Blum telefoniert? Gerät er in sittliche oder geschlechtliche oder in beide Arten von Erregung? Empört er sich, hat er Mitleid, bereitet es ihm gar ein merkwürdiges Vergnügen, wenn da eine Person, die den Spitznamen »Nonne« trägt, durch heiser hingestöhnte, drohend vorgebrachte Angebote in den Tiefen ihrer Seele verletzt wird? Nun, es geschieht so vieles im Vordergrund – mehr noch im Hintergrund. Was denkt sich ein harmloser, lediglich sein sauer verdientes Brot erwerbender Anzapfer zum Beispiel, wenn da ein gewisser Lüding, der hier gelegentlich erwähnt wurde, die Chefredaktion der ZEITUNG anruft und etwa sagt: »Sofort S. ganz raus, aber B. ganz rein.« Natürlich wird Lüding nicht angezapft, weil *er* beobachtet werden muß, sondern weil die Gefahr besteht, daß er – etwa von Erpressern, Polit-Gangstern etc. – angerufen wird. Wie soll so ein unbescholtener Mithörer wissen, daß mit S. Sträubleder gemeint ist, mit B. Blorna und daß man in der SONNTAGS-ZEITUNG nicht mehr über S., aber viel über B. wird lesen können. Und doch – wer soll das schon wissen oder auch nur ahnen – ist Blorna ein von Lüding äußerst geschätzter Anwalt, der fast unzählige Male sein Geschick bewiesen hat, national und international. Nichts anderes ist gemeint, wenn hier an anderer Stelle von Quellen gesprochen worden ist, die

»zueinander nicht kommen können«, wie die Königskinder, denen die falsche Nonne die Kerze ausblies – und irgendeiner versank da ziemlich tief, ertrank. Und da läßt Frau Lüding durch ihre Köchin bei der Sekretärin ihres Mannes anrufen, um herauszubekommen, was Lüding wohl am Sonntag gern zum Nachtisch essen würde: Palatschinken mit Mohn? Erdbeeren mit Eis *und* Sahne oder nur mit Eis oder nur mit Sahne, woraufhin die Sekretärin, die ihren Chef nicht belästigen möchte, seinen Geschmack aber kennt, die aber möglicherweise auch nur Ärger bzw. Umstände verursachen will, der Köchin mit ziemlich spitzer Stimme erklärt, sie sei ganz sicher, daß Herr Lüding an diesem Sonntag Karamelpudding mit Krokantsauce vorziehen würde; die Köchin, die natürlich auch Lüdings Geschmack kennt, widerspricht und sagt, das sei ihr neu, ob die Sekretärin sicher sei, daß sie nicht ihren eigenen Geschmack mit dem des Herrn Lüding verwechsle, und ob sie nicht doch durchstellen könne, damit sie direkt mit Herrn Lüding über seine Nachtischwünsche sprechen könne. Daraufhin die Sekretärin, die gelegentlich mit Herrn Lüding als Konferenzsekretärin unterwegs ist und in irgendwelchen PALACE-Hotels oder Inter-Herbergen mit ihm ißt, behauptet, wenn *sie* mit ihm unterwegs sei, esse er immer Karamelpudding mit Krokantsauce; die Köchin: aber am Sonntag sei er eben nicht mit ihr, der Sekretärin, unterwegs und ob es nicht möglich sei, daß Lüdings Nachtischwünsche eben abhängig seien von der Gesellschaft, in der er sich befinde. Etc. Etc. Schließlich wird noch lange über Palatschinken mit Mohn gestritten – und dieses ganze Gespräch wird auf Kosten des Steuerzahlers auf Tonband aufgenommen! Denkt der Tonbandabspieler, der natürlich genau darauf achten muß, ob hier nicht ein Anarchistencode verwendet worden ist, ob mit Palatschinken nicht etwa Handgranaten und bei Eis mit Erdbeeren Bomben gemeint sind – doch möglicherweise: die haben Sorgen oder: die Sorgen möchte ich haben, denn ihm ist möglicherweise gerade die Tochter durchgebrannt oder der Sohn dem Hasch verfallen oder die Miete mal wieder erhöht worden, und das alles – diese Tonbandaufnahmen – nur, weil gegen Lüding einmal eine Bombendrohung ausgesprochen worden ist; so erfährt ein unschuldiger Beamter oder Angestellter endlich einmal, was Palatschinken mit Mohn sind, er, dem die schon als Hauptmahlzeit genügen würden, wenn auch nur *einer*.

Es passiert zuviel im Vordergrund, und wir wissen nichts von dem, was im Hintergrund passiert. Könnte man sich die Tonbänder mal vorspielen lassen! Um endlich etwas zu erfahren, wie – oder ob überhaupt intim etwa Frau Else Woltersheim mit Konrad Beiters ist. Was bedeutete das Wort Freund, wenn es um die Beziehung dieser beiden geht? Nennt sie ihn Schatz, Liebling, oder sagt sie nur Konrad oder Conny zu ihm; welche Art verbaler Zärtlichkeiten tauschen sie, wenn überhaupt, miteinander aus? Singt er, von dem bekannt ist, daß er einen guten, fast konzert-, aber mindestens chorreifen Bariton hat, ihr vielleicht am Telefon Lieder vor? Serenaden? Schlager? Arien? Oder wird da gar in grober Weise über vergangene oder geplante Intimitäten referiert? Das möchte man doch gern wissen, denn da den meisten Menschen zuverlässige telepathische Verbindungen versagt sind, greifen sie doch zum Telefon, das ihnen zuverlässiger erscheint. Sind sich die vorgesetzten Behörden darüber klar, was sie ihren Beamten und Angestellten da psychisch zumuten? Nehmen wir einmal an, eine vorübergehend verdächtige Person vulgärer Natur, der man ein »Zäpfchen« genehmigt hat, ruft ihren ebenfalls vulgären derzeitigen Liebespartner an. Da wir in einem freien Land leben und frei und offen miteinander sprechen dürfen, auch am Telefon, was kann da einer möglicherweise sittsamen oder gar sittenstrengen Person – ganz gleich welchen Geschlechts – alles um die Ohren sausen oder vom Tonband entgegenflattern? Ist das zu verantworten? Ist die psychiatrische Betreuung gewährleistet? Was sagt die Gewerkschaft Öffentliche Dienste, Transport und Verkehr *dazu?* Da kümmert man sich um Industrielle, Anarchisten, Bankdirektoren, -räuber und -angestellte, aber wer kümmert sich um unsere nationalen Tonbandstreitkräfte? Haben die Kirchen dazu nichts zu sagen? Fällt der Fuldaer Bischofskonferenz oder dem Zentralkomitee deutscher Katholiken denn gar nichts mehr ein? Warum schweigt der Papst dazu? Ahnt denn keiner, was hier unschuldigen Ohren alles zwischen Karamelpudding und härtestem Porno zugemutet wird? Da werden junge Menschen aufgefordert, die Beamtenlaufbahn zu ergreifen – und wem werden sie ausgeliefert? Telefonsittenstrolchen. Hier ist endlich ein Gebiet, wo Kirchen und Gewerkschaften zusammenarbeiten könnten. Man könnte doch mindestens eine Art Bildungsprogramm für Abhörer planen. Tonbänder mit Geschichtsunterricht. Das kostet nicht viel.

42.

Nun kehrt man reumütig in den Vordergrund zurück, begibt sich wieder an die unvermeidliche Kanalarbeit, und muß schon wieder mit einer Erklärung beginnen! Es war hier versprochen worden, daß kein Blut mehr fließen sollte, und es wird Wert darauf gelegt, festzustellen, daß mit dem Tod der Frau Blum, Katharinas Mutter, dieses Versprechen nicht gerade gebrochen wird. Es handelt sich ja nicht um eine Bluttat, wenn auch nicht um einen ganz normalen Sterbefall. Der Tod der Frau Blum wurde zwar gewaltsam herbeigeführt, aber unbeabsichtigt gewaltsam. Jedenfalls – das muß festgehalten werden – hatte der Todesherbeiführer weder mörderische noch totschlägerische, nicht einmal körperverletzende Absichten. Es handelt sich, wie nicht nur nachgewiesen, sondern sogar von jenem zugegeben wurde, um eben jenen Tötges, der selbst allerdings ein blutiges, beabsichtigt gewaltsames Ende fand. Tötges hatte schon am Donnerstag in Gemmelsbroich nach der Adresse von Frau Blum geforscht, diese auch erfahren, aber vergebens versucht, zu ihr ins Krankenhaus vorzudringen. Er war vom Pförtner, von der Stationsschwester Edelgard und vom leitenden Arzt Dr. Heinen drauf aufmerksam gemacht worden, daß Frau Blum nach einer schweren, aber erfolgreichen Krebsoperation sehr ruhebedürftig sei; daß ihre Genesung geradezu davon abhängig sei, daß sie keinerlei Aufregungen ausgesetzt werde und ein Interview nicht in Frage käme. Den Hinweis, Frau Blum sei durch die Verbindung ihrer Tochter zu Götten ebenfalls »Person der Zeitgeschichte«, konterte der Arzt mit dem Hinweis, auch Personen der Zeitgeschichte seien für ihn zunächst Patienten. Nun hatte Tötges während dieser Gespräche festgestellt, daß im Hause Anstreicher wirkten, und sich später Kollegen gegenüber geradezu damit gebrüstet, daß es ihm durch Anwendung des »simpelsten aller Tricks, nämlich des Handwerkertricks« – indem er sich einen Kittel, einen Farbtopf und einen Pinsel besorgte –, gelungen sei, am Freitagmorgen dennoch zu Frau Blum vorzudringen, denn nichts sei so ergiebig wie Mütter, auch kranke; er habe Frau Blum mit den Fakten konfrontiert, sei nicht ganz sicher, ob sie das alles kapiert habe, denn Götten sei ihr offenbar kein Begriff gewesen, und sie habe gesagt: »Warum mußte das so enden, warum mußte das so kommen?«, woraus er in der ZEITUNG machte: »So mußte es ja kommen, so mußte es ja enden.« Die kleine Veränderung der Aussage von Frau Blum erklärte er damit, daß er als Reporter drauf eingestellt und gewohnt sei, »einfachen Menschen Artikulationshilfe zu geben«.

43.

Es war nicht einmal mit Gewißheit zu ermitteln, ob Tötges tatsächlich bis zu Frau Blum durchgedrungen war oder ob er, um die in der ZEITUNG zitierten Sätze von Katharinas Mutter als Ergebnis eines Interviews ausgeben zu können, seinen Besuch erlogen bzw. erfunden hat, um seine journalistische Cleverness oder Tüchtigkeit zu beweisen und nebenher ein bißchen anzugeben. Dr. Heinen, Schwester Edelgard, eine spanische Krankenschwester namens Huelva, eine portugiesische Putzfrau namens Puelco – alle halten es für ausgeschlossen, daß »dieser Kerl tatsächlich die Frechheit besessen haben könnte, das zu tun« (Dr. Heinen). Nun ist zweifellos nicht nur der, wenn auch möglicherweise erfundene, aber zugegebene Besuch bei Katharinas Mutter ganz gewiß ausschlaggebend gewesen, und es fragt sich natürlich, ob das Krankenhauspersonal einfach leugnet, was nicht sein durfte, oder Tötges, um die Zitate von Katharinas Mutter als wörtlich zu decken, den Besuch bei ihr erfand. Hier soll absolute Gerechtigkeit walten. Es gilt als erwiesen, daß Katharina sich ihr Kostüm schneiderte, um in eben jener Kneipe, aus der der unglückselige Schönner »mit einer Brumme abgehauen« war, Recherchen anzustellen, *nachdem* sie das Interview mit Tötges bereits verabredet hatte und *nachdem* die SONNTAGSZEITUNG einen weiteren Bericht von Tötges publiziert hatte. Man muß also abwarten. Sicher ist, nachgewiesen, belegt geradezu, daß Dr. Heinen überrascht war vom plötzlichen Tod seiner Patientin Maria Blum und daß er »unvorhergesehene Einwirkungen, wenn nicht nachweisen, so doch auch nicht ausschließen kann«. Unschuldige Anstreicher sollen hier keinesfalls verantwortlich gemacht werden. Die Ehre des deutschen Handwerks darf nicht befleckt werden: weder Schwester Edelgard noch die ausländischen Damen Huelva und Puelco können dafür garantieren, daß alle Anstreicher – es waren vier von der Firma Merkens aus Kuir – wirklich Anstreicher waren, und da die vier an verschiedenen Stellen arbeiteten, kann niemand wirklich wissen, ob da nicht einer mit Kittel, Farbtopf und Pinsel ausgestattet sich eingeschlichen hat. Fest steht: Tötges hat *behauptet* (von zugegeben kann nicht gesprochen werden, da sein Besuch nicht wirklich nachweisbar ist), bei Maria Blum gewesen zu sein und sie interviewt zu haben, und diese Behauptung ist Katharina bekannt geworden. Herr Merkens hat auch zugegeben, daß natürlich nicht immer alle vier Anstreicher gleichzeitig anwesend waren und daß, *wenn* jemand sich hätte einschleichen wollen, das eine Kleinigkeit gewesen wäre. Dr. Heinen hat später gesagt, er würde die ZEITUNG auf das veröffentlichte Zitat von Katharinas Mutter hin anzeigen, einen Skandal hervorrufen, denn das sei, wenn wahr, ungeheuerlich – aber seine Drohung blieb so wenig ausgeführt wie das »In-die-Fresse-Hauen«, das Blorna Sträubleder angedroht hatte.

44.

Gegen Mittag jenes Samstags, des 23. Februar 1974, trafen im Café Kloog in Kuir (es handelt sich um einen Neffen jenes Gastwirts, bei dem Katharina als junge Frau gelegentlich in der Küche und als Serviererin aushalf) die Blornas, Frau Woltersheim, Konrad Beiters und Katharina endlich zusammen. Es fanden Umarmungen statt, und es flossen Tränen, sogar von Frau Blorna. Natürlich herrschte auch im Café Kloog Karnevalsstimmung, aber der Besitzer, Erwin Kloog, der Katharina kannte, duzte und schätzte, stellte den Versammelten sein privates Wohnzimmer zur Verfügung. Von dort aus telefonierte Blorna zunächst mit Hach und sagte die Verabredung für den Nachmittag im Foyer des Museums ab. Er teilte Hach mit, daß Katharinas Mutter wahrscheinlich infolge eines Besuchs von Tötges von der ZEITUNG unerwartet gestorben sei. Hach war milder als am Morgen, bat, Katharina, die ihm gewiß nicht grolle, wozu sie auch keinen Grund habe, sein persönliches Beileid auszusprechen. Im übrigen stehe er jederzeit zur Verfügung. Er sei zwar jetzt sehr beschäftigt mit den Vernehmungen von Götten, werde sich aber freimachen; im übrigen habe sich aus den Vernehmungen Göttens bisher nichts Belastendes für Katharina ergeben. Er habe mit großer Zuneigung und fair von ihr und über sie gesprochen. Eine Besuchserlaubnis sei allerdings nicht zu erwarten, da keine Verwandtschaft vorliege und die Definition »Verlobte« sich bestimmt als zu vage herausstellen und nicht stichhaltig sein würde.

Es sieht ganz so aus, als sei Katharina bei der Nachricht vom Tode ihrer Mutter nicht gerade zusammengebrochen. Es scheint fast, als wäre sie erleichtert gewesen. Natürlich konfrontierte Katharina Dr. Heinen mit der Ausgabe der ZEITUNG, in der das Tötges-Interview erwähnt und ihre Mutter zitiert wurde, sie teilte aber keineswegs Dr. Heinens Empörung über das Interview, sondern meinte, diese Leute seien Mörder und Rufmörder, sie verachte das natürlich, aber offenbar sei es doch geradezu die Pflicht dieser Art Zeitungsleute, unschuldige Menschen um Ehre, Ruf und Gesundheit zu bringen. Dr. Heinen, der irrigerweise eine Marxistin in ihr vermutete (wahrscheinlich hatte auch er die Anspielungen

94

von Brettloh, Katharinas Geschiedenem, in der ZEITUNG gelesen), war ein wenig erschrocken über ihre Kühle und fragte sie, ob sie das – diese ZEITUNGSmasche – für ein Strukturproblem halte. Katharina wußte nicht, was er meinte, und schüttelte den Kopf. Sie ließ sich dann von Schwester Edelgard in die Leichenkammer führen, die sie gemeinsam mit Frau Woltersheim betrat. Katharina zog selbst das Leichentuch vom Gesicht ihrer Mutter, sagte »Ja«, küßte sie auf die Stirn; als sie von Schwester Edelgard aufgefordert wurde, ein kurzes Gebet zu sprechen, schüttelte sie den Kopf und sagte »Nein«. Sie zog das Tuch wieder über das Gesicht ihrer Mutter, bedankte sich bei der Nonne, und erst während sie die Leichenkammer verließ, fing sie an zu weinen, erst leise, dann heftiger, schließlich hemmungslos. Vielleicht dachte sie auch an ihren verstorbenen Vater, den sie als sechsjähriges Kind ebenfalls in der Leichenkammer eines Krankenhauses zuletzt gesehen hatte. Else Woltersheim fiel ein oder besser auf: daß sie Katharina noch nie hatte weinen gesehen, auch nicht als Kind, wenn sie in der Schule zu leiden hatte oder Milieukummer sie bedrückte. In sehr höflicher Weise, fast liebenswürdig bestand Katharina darauf, sich auch bei den ausländischen Damen Huelva und Puelco für alles zu bedanken, was sie für ihre Mutter getan hatten. Sie verließ das Krankenhaus gefaßt, vergaß auch nicht, ihren einsitzenden Bruder Kurt telegrafisch durch die Verwaltung des Krankenhauses verständigen zu lassen.

So blieb sie den ganzen Nachmittag und den Abend über: gefaßt. Obwohl sie immer wieder die beiden Ausgaben der ZEITUNG hervorholte, die Blornas, Else W. und Konrad B. mit sämtlichen Details und ihrer Interpretation dieser Details konfrontierte, schien auch ihr Verhältnis zur ZEITUNG ein anderes geworden zu sein. Zeitgemäß ausgedrückt: weniger emotional, mehr analytisch. In diesem ihr vertrauten und

freundschaftlich gesonnenen Kreis, in Erwin Kloogs Wohnzimmer, sprach sie auch offen über ihr Verhältnis zu Sträubleder: er habe sie einmal nach einem Abend bei Blornas nach
Hause gebracht, sie, obwohl sie das strikt, fast mit Ekel
abgelehnt habe, bis an die Haustür, dann sogar in ihre Wohnung begleitet, indem er einfach den Fuß zwischen die Tür
gesetzt habe. Nun, er habe natürlich versucht, zudringlich zu
werden, sei. wohl beleidigt gewesen, weil sie ihn gar nicht
unwiderstehlich fand, und sei schließlich – es war schon nach
Mitternacht – gegangen. Von diesem Tag an habe er sie regelrecht verfolgt, sei immer wiedergekommen, habe Blumen
geschickt, Briefe geschrieben, und es sei ihm einige Male
gelungen, zu ihr in die Wohnung vorzudringen, bei dieser
Gelegenheit habe er ihr den Ring einfach aufgedrängt. Das sei
alles. Sie habe deshalb seine Besuche nicht zugegeben bzw.
seinen Namen nicht preisgegeben, weil sie es für unmöglich
angesehen habe, den vernehmenden Beamten zu erklären,
daß nichts, rein gar nichts, nicht einmal ein einziger Kuß
zwischen ihnen gewesen sei. Wer würde ihr schon glauben,
daß sie einem Menschen wie Sträubleder widerstehen würde,
der ja nicht nur wohlhabend sei, sondern in Politik, Wirtschaft und Wissenschaft seines unwiderstehlichen Charmes
wegen geradezu berühmt sei, fast wie ein Filmschauspieler,
und wer würde einer Hausangestellten wie ihr schon glauben,
daß sie einem Filmschauspieler widerstehen würde, und nicht
einmal aus moralischen, sondern aus Geschmacksgründen?
Er habe einfach nicht den geringsten Reiz auf sie ausgeübt,
und sie empfinde diese ganze Herrenbesuchsgeschichte als
das scheußlichste Eindringen in eine Sphäre, die sie nicht als
Intimsphäre bezeichnen möchte, weil das mißverständlich
sei, denn sie sei ja nicht andeutungsweise intim mit Sträubleder geworden – sondern weil er sie in eine Lage gebracht habe,
die sie niemand, schon gar nicht einem Vernehmungskom-

mando hätte erklären können. Letzten Endes aber – und hier lachte sie – habe sie doch eine gewisse Dankbarkeit für ihn empfunden, denn der Schlüssel zu seinem Haus sei für Ludwig wichtig gewesen, oder wenigstens die Adresse, denn – hier lachte sie wieder – Ludwig wäre gewiß auch ohne Schlüssel dort eingedrungen, aber der Schlüssel habe es natürlich erleichtert, und sie habe auch gewußt, daß die Villa über Karneval unbenutzt sei, denn gerade zwei Tage vorher habe Sträubleder sie wieder einmal aufs äußerste belästigt, geradezu bedrängt und ihr ein Karnevalswochenende dort vorgeschlagen, bevor er die Teilnahme an der Tagung in Bad B. zugesagt habe. Ja, Ludwig habe ihr gesagt, daß er von der Polizei gesucht würde, er habe ihr aber nur gesagt, daß er Bundeswehrdeserteur sei und dabei, sich ins Ausland abzusetzen, und – zum drittenmal lachte sie – es habe ihr Spaß gemacht, ihn eigenhändig in den Heizungsschacht zu expedieren und auf den Notausstieg zu verweisen, der am Ende von »Elegant am Strom wohnen« an der Ecke zur Hochkeppelstraße ans Tageslicht führe. Nein, sie habe zwar nicht geglaubt, daß die Polizei sie und Götten überwache, sondern sie habe das als eine Art Räuber- und Gendarmromantik angesehen, und erst am Morgen – tatsächlich sei Ludwig schon um sechs Uhr früh weggegangen – habe sie zu spüren bekommen, wie ernst das Ganze gewesen sei. Sie zeigte sich erleichtert darüber, daß Götten verhaftet sei, nun, sagte sie, könne er keine Dummheiten mehr machen. Sie habe die ganze Zeit über Angst gehabt, denn dieser Beizmenne sei ihr unheimlich.

45

Es muß hier festgestellt und festgehalten werden, daß Samstagnachmittag und -abend fast nett verliefen, so nett, daß alle – die Blornas, Else Woltersheim und der merkwürdig stille Konrad Beiters – ziemlich beruhigt waren. Schließlich empfand man – und sogar Katharina selbst – die »Lage als entspannt«. Götten verhaftet, die Vernehmungen von Katharina abgeschlossen, Katharinas Mutter, wenn auch vorzeitig, von einem schweren Leiden erlöst, die Beerdigungsformalitäten waren eingeleitet, alle erforderlichen Dokumente in Kuir für den Rosenmontag versprochen, an dem ein Verwaltungsangestellter sich freundlicherweise bereit erklärt hatte, sie trotz des Feiertages auszustellen. Schließlich bestand auch ein gewisser Trost darin, daß der Caféhausbesitzer Erwin Kloog, der jede Bezahlung des Verzehrten (es handelte sich um Kaffee, Liköre, Kartoffelsalat, Würstchen und Kuchen) strikt ablehnte, beim Abschied sagte: »Kopf hoch, Kathrinchen, nicht alle hier denken schlecht von dir.« Der Trost, der in diesen Worten verborgen war, mochte relativ sein, denn was heißt schon »nicht alle«? – aber immerhin waren es eben »nicht alle«. Man einigte sich darauf, zu Blornas zu fahren und dort den Rest des Abends zu verbringen. Dort wurde Katharina striktestens verboten, ihre ordnende Hand anzulegen, sie habe Urlaub und sollte sich entspannen. Es war Frau Woltersheim, die in der Küche Brote zurechtmachte, während Blorna und Beiters sich gemeinsam um den Kamin kümmerten. Tatsächlich ließ Katharina sich »einmal verwöhnen«. Es wurde später richtig nett, und wäre da nicht ein Todesfall und die Verhaftung eines sehr lieben Menschen gewesen, man hätte gewiß zu vorgerückter Stunde ein Tänzchen riskiert, denn immerhin war Karneval.

Es gelang Blorna nicht, Katharina von dem geplanten Interview mit Tötges abzubringen. Sie blieb ruhig und sehr freundlich, und später – nachdem das Interview sich als »Interview« erwiesen hatte – lief es Blorna, wenn er zurückblickte, kalt den Rücken hinunter, wenn er bedachte, mit welch entschlossener Kaltblütigkeit Katharina auf dem Interview bestanden und wie entschieden sie seinen Beistand abgelehnt hatte. Und doch war er später nicht ganz sicher, daß Katharina an diesem Abend schon zum Mord entschlossen war. Viel wahrscheinlicher erschien ihm, daß die SONNTAGSZEITUNG den Ausschlag gegeben hatte. Man trennte sich friedlich, wieder mit Umarmungen, diesmal ohne Tränen, nachdem man miteinander sowohl ernste wie leichte Musik gehört und Katharina wie Else Woltersheim ein wenig vom Leben in Gemmelsbroich und Kuir erzählt hatten. Es war erst halb elf abends, als Katharina, Frau Woltersheim und Beiters sich unter Versicherungen großer Freundschaft und Sympathie von den Blornas trennten, die sich glücklich priesen, doch noch rechtzeitig – rechtzeitig für Katharina – zurückgekommen zu sein. Am erlöschenden Kaminfeuer erörterten sie bei einer Flasche Wein neue Urlaubspläne und den Charakter ihres Freundes Sträubleder und seiner Frau Maud. Als Blorna seine Frau bat, doch bei künftigen Besuchen das Wort »Herrenbesuch« nicht mehr zu gebrauchen, sie müsse doch einsehen, daß es zu einem neuralgischen Wort geworden sei, sagte Trude Blorna: »Den werden wir so bald nicht wiedersehen.«

46.

Es ist verbürgt, daß Katharina den Rest des Abends ruhig verbrachte. Sie probierte ihr Beduinenkostüm noch einmal an, verstärkte einige Nähte und entschloß sich, anstelle eines

Schleiers ein weißes Taschentuch zu verwenden. Man hörte noch ein wenig Radio miteinander, aß ein wenig Gebäck und begab sich dann zur Ruhe. Beiters, indem er zum erstenmal offen mit Frau Woltersheim in deren Schlafzimmer ging, Katharina, indem sie es sich auf der Couch bequem machte.

47.

Als Else Woltersheim und Konrad Beiters am Sonntagmorgen aufstanden, war der Frühstückstisch aufs freundlichste gedeckt, der Kaffee schon in die Thermoskanne gefiltert und Katharina, die mit offensichtlichem Appetit schon frühstückte, saß am Wohnzimmertisch und las die SONNTAGSZEITUNG. Es soll hier kaum noch referiert, fast nur noch zitiert werden. Zugegeben, Katharinas »story« war nicht mehr mit Foto auf der Titelseite. Auf der Titelseite war diesmal Ludwig Götten mit der Überschrift: »Der zärtliche Liebhaber von Katharina Blum in Industriellen-Villa gestellt.« Die story selbst war umfangreicher als bisher auf den Seiten 7–9 mit zahlreichen Bildern: Katharina als Erstkommunikantin, ihr Vater als heimkehrender Gefreiter, die Kirche in Gemmelsbroich, noch einmal die Villa von Blornas. Katharinas Mutter als etwa Vierzigjährige, ziemlich vergrämt, fast verkommen wirkend vor dem winzigen Häuschen in Gemmelsbroich, in dem sie gewohnt hatten, schließlich ein Foto des Krankenhauses, in dem Katharinas Mutter in der Nacht von Freitag auf Samstag gestorben war. Der Text:

Als erstes nachweisbares Opfer der undurchsichtigen, immer noch auf freiem Fuß befindlichen Katharina Blum kann man jetzt ihre eigene Mutter bezeichnen, die den Schock über die Aktivitäten ihrer Tochter nicht überlebte. Ist es schon merkwürdig genug, daß die Tochter, während ihre Mutter im Sterben lag, mit inniger Zärtlichkeit mit einem Räuber und Mörder auf einem Ball tanzte, so grenzt es doch schon ans extrem Perverse, daß sie bei dem Tod keine Träne vergoß. Ist diese Frau wirklich nur »eiskalt und berechnend«? Die Frau eines ihrer früheren Arbeitgeber, eines angesehenen Landarztes, beschreibt sie so: »Sie hatte so eine richtig nuttige Art. Ich mußte sie entlassen, meiner heranwachsenden Söhne, unserer Patienten und auch um des Ansehens meines Mannes willen.« War Katharina B. etwa auch an den Unterschlagungen des berüchtigten Dr. Fehnern beteiligt? (Die ZEITUNG berichtete seinerzeit über diesen Fall.) War ihr Vater ein Simulant? Warum wurde ihr Bruder kriminell? Immer noch ungeklärt: ihr rascher Aufstieg und ihre hohen Einkünfte. Nun steht endgültig fest: Katharina Blum hat dem blutbefleckten Götten zur Flucht verholfen, sie hat das freundschaftliche Vertrauen und die spontane Hilfsbereitschaft eines hochangesehenen Wissenschaftlers und Industriellen schamlos mißbraucht. Es liegen inzwischen der ZEITUNG Informationen vor, die fast schlüssig beweisen: nicht sie erhielt Herrenbesuch, sondern sie stattete unaufgefordert Damenbesuch ab, um die Villa auszubaldowern. Die geheimnisvollen Autofahrten der Blum sind nun nicht mehr so geheimnisvoll. Sie setzte den Ruf eines ehrenwerten Menschen, dessen Familienglück, seine politische Karriere – über die die ZEITUNG schon mehrfach berichtet hat – skrupellos aufs Spiel, gleichgültig gegenüber den Gefühlen einer loyalen Ehefrau und den vier Kindern. Offenbar sollte die Blum im Auftrag einer Linksgruppe die Karriere von S. zerstören.

Will die Polizei, will die Staatsanwaltschaft tatsächlich dem schandebedeckten Götten glauben, der die Blum voll entlastet? Die ZEITUNG erhebt zum wiederholten Male die Frage: Sind unsere Vernehmungsmethoden nicht doch zu milde? Soll man gegen Unmenschen menschlich bleiben müssen?

Unter den Bildern von Blorna, Frau Blorna und der Villa:

In diesem Haus arbeitete die Blum von sieben bis sechzehn Uhr dreißig selbständig, unbewacht, mit dem vollen Vertrauen von Dr. Blorna und Frau Dr. Blorna. Was mag sich hier alles abgespielt haben, während die ahnungslosen Blornas ihrem Beruf nachgingen? Oder waren sie nicht so ahnungslos? Ihr Verhältnis zur Blum wird als sehr vertraut, fast vertraulich bezeichnet. Nachbarn erzählten Zeitungsreportern, man könne fast von einem freundschaftlichen Verhältnis sprechen. Gewisse Andeutungen übergehen wir hier, da sie nicht zur Sache gehören. Oder doch? Welche Rolle spielte Frau Dr. Gertrud Blorna, die in den Annalen einer angesehenen TH heute noch als die »rote Trude« bekannt ist? Wie konnte Götten aus der Wohnung der Blum entkommen, obwohl ihm die Polizei auf den Fersen war? Wer kannte die Konstruktionspläne des Appartementhauses »Elegant am Strom wohnen« bis ins letzte Detail? Frau Blorna. Die Verkäuferin Hertha Sch. und die Arbeiterin Claudia St. sagten übereinstimmend zur ZEITUNG: »Die, wie die miteinander tanzten (gemeint sind die Blum und der Bandit Götten) – als hätten sie sich schon ewig gekannt. Das war kein zufälliges Treffen, das war ein Wiedersehen.«

48.

Als Beizmenne später intern kritisiert wurde, weil er Götten, von dessen Aufenthalt in der Sträublederschen Villa er schon seit Donnerstagabend 23.30 Uhr wußte, fast achtundvierzig Stunden unbehelligt gelassen und damit ein weiteres Entkommen Göttens riskiert hatte, lachte er und sagte, Götten habe schon ab Donnerstag um Mitternacht keine Chance mehr gehabt zu entkommen. Das Haus liege im Wald, sei aber auf eine geradezu ideale Weise von Hochsitzen »wie von Wachtürmen« umgeben, der Innenminister sei voll informiert und mit allen Maßnahmen einverstanden gewesen; es sei per Hubschrauber, der natürlich nicht in Hörnähe gelandet sei, sofort ein Spezialtrupp in Marsch gesetzt, auf die Hochsitze verteilt worden, am anderen Morgen sei die lokale Polizeidienststelle durch weitere zwei Dutzend Beamte auf die diskreteste Weise verstärkt worden. Das wichtigste wäre gewesen, Göttens Kontaktversuche zu beobachten, und der Erfolg habe das Risiko gerechtfertigt. Es seien fünf Kontakte ausgemacht worden. Und man habe natürlich diese fünf Kontaktpersonen erst stellen und festnehmen, ihre Wohnungen durchsuchen müssen, bevor man Götten festnahm. Man habe bei diesem erst zugegriffen, als er auskontaktiert gewesen sei und leichtsinniger- oder frecherweise sich so sicher gefühlt habe, daß man ihn von außen habe beobachten können. Einige wichtige Details verdanke er übrigens den Reportern der ZEITUNG, dem dazu gehörenden Verlag und den mit diesem Haus verbundenen Organen, die nun einmal lockere und nicht immer konventionelle Methoden hätten, Einzelheiten zu erfahren, die amtlichen Rechercheuren verborgen blieben. So habe sich zum Beispiel herausgestellt, daß Frau Woltersheim ebensowenig ein unbeschriebenes Blatt sei wie Frau Blorna. Die Woltersheim sei 1930 als uneheliches Kind einer Arbeiterin in Kuir geboren. Die Mutter lebe noch, und zwar wo? In der DDR, und das keineswegs gezwungenermaßen, sondern freiwillig; es sei ihr mehrmals, erstmalig 1945, noch einmal 1952, ein weiteres Mal 1961 kurz vor dem Mauerbau angeboten worden, in ihre Heimat Kuir zurückzukommen, wo sie ein kleines Haus und einen Morgen Land besitze. Aber sie habe –

und das dreimal und alle drei Male ausdrücklich – abgelehnt. Noch ein paar Stufen interessanter sei der Vater der Wolters-heim, ein gewisser Lumm, ebenfalls Arbeiter, außerdem Mit-glied der damaligen KPD, der 1932 in die Sowjetunion emi-griert sei und dort angeblich verschollen sei. Er, Beizmenne, nehme an, auf den Vermißtenlisten der Deutschen Wehr-macht sei diese Art von Verschollenen nicht zu finden.

49.

Da man nicht sicher sein kann, daß bestimmte, relativ deut-liche Hinweise auf Handlungs- und Tatzusammenhänge nicht doch möglicherweise als bloße Andeutungen verloren-gehen oder mißverstanden werden, sollte man hier doch noch einen Hinweis gestatten: Die ZEITUNG, die ja durch ihren Reporter Tötges den zweifellos verfrühten Tod von Kathari-nas Mutter verursachte, stellte nun in der SONNTAGSZEI-TUNG Katharina als am Tode ihrer Mutter schuldig dar und bezichtigte sie außerdem – eben nur mehr oder weniger offen – des Diebstahls an Sträubleders Schlüssel zu dessen Zweitvil-la! Das sollte doch noch einmal hervorgehoben werden, denn man kann da nie sicher sein. Auch nicht ganz sicher, ob man alle Verleumdungen, Lügen, Verdrehungen der ZEITUNG richtig kapiert.

Es sei hier am Beispiel Blorna dargestellt, *wie* die ZEI-TUNG sogar auf relativ rationale Menschen wirken konnte. In dem Villenvorort, in dem Blornas wohnten, wurde natür-lich die SONNTAGSZEITUNG nicht verkauft. Dort las man Edleres. So kam es, daß Blorna, der glaubte, es sei ja nun alles vorbei, und der nur ein wenig bange auf Katharinas Gespräch mit Tötges wartete, erst am Mittag, als er bei Frau

Woltersheim anrief, von dem Artikel in der SONNTAGS-
ZEITUNG erfuhr. Die Woltersheim ihrerseits hatte es als
selbstverständlich angesehen, daß Blorna die SONNTAGS-
ZEITUNG schon gelesen habe. Nun hat man doch hoffent-
lich begriffen, daß Blorna ein zwar herzlicher, ehrlich um
Katharina besorgter, aber auch ein nüchterner Mensch war.
Als er nun sich von Frau Woltersheim die entsprechenden
Passagen aus der SONNTAGSZEITUNG am Telefon vorlesen ließ, traute er – wie man das so nennt – seinen Sinnen nicht
(in diesem Fall nur einem Sinn: dem Gehör) – er ließ sich das
noch einmal vorlesen, mußte es dann wohl glauben, und – so
nennt man es wohl – es platzte ihm regelrecht der Kragen. Er
schrie, brüllte, suchte in der Küche nach einer leeren Flasche,
fand eine, rannte damit in die Garage, wo er zum Glück von
seiner Frau gestellt und daran gehindert wurde, einen regelrechten Molotow-Cocktail zu basteln, den er in die Redak-
tion der ZEITUNG und später einen zweiten in Sträubleders
»Erstvilla« werfen wollte. Man muß sich das vor Augen führen: ein akademisch gebildeter Mensch von zweiundvierzig
Jahren, der seit sieben Jahren Lüdings Achtung, Sträubleders
Respekt wegen seiner nüchternen und klaren Verhandlungs-
führung hatte – und das international sowohl in Brasilien wie
in Saudi-Arabien wie in Nordirland –, also es handelte sich
keineswegs um einen provinziellen, sondern um einen durch
und durch weltläufigen Menschen; *der* wollte Molotow-
Cocktails basteln!

Frau Blorna erklärte das kurzerhand als spontan-kleinbür-
gerlich-romantischen Anarchismus, besprach ihn regelrecht,
so wie man eine kranke oder wunde Körperstelle *bespricht,*
griff selbst zum Telefon, ließ sich von Frau Woltersheim die
entsprechenden Passagen vorlesen, und es muß hier gesagt
werden: sie wurde ziemlich blaß, sogar sie, und sie tat etwas,
das vielleicht schlimmer war als Molotow-Cocktails je sein

können, sie griff zum Telefon, rief Lüding an (der um diese Zeit gerade über seinen Erdbeeren *mit* Sahne und *mit* Vanilleeis saß) und sagte einfach zu ihm: »Sie Schwein, Sie elendes Ferkel.« Sie nannte zwar ihren Namen nicht, doch man kann voraussetzen, daß alle Bekannten von Blornas die Stimme seiner Frau, die um ihrer treffenden und scharfen Bemerkungen willen berüchtigt war, kannten. Das wiederum ging ihrem Mann zu weit, der glaubte, sie habe mit Sträubleder telefoniert. Nun, es kam da noch zu verschiedenen Krächen, selbst zwischen Blornas, zwischen Blornas und anderen, aber da dabei niemand umgebracht wurde, soll man gestatten, daß darüber hinweggegangen wird. Diese an sich unwichtigen, wenn auch beabsichtigten Folgen der SONNTAGSZEITUNG werden hier nur erwähnt, damit man weiß, wie sogar gebildete und etablierte Menschen empört waren und Gewalttaten gröbster Art erwogen.

Erwiesen ist, daß Katharina um diese Zeit – so gegen zwölf Uhr –, nachdem sie sich eineinhalb Stunden unerkannt dort aufgehalten und wahrscheinlich Informationen über Tötges gesammelt hatte, das Journalistenlokal »Zur Goldente« verlassen hatte und in ihrer Wohnung auf Tötges, der etwa eine Viertelstunde später eintraf, wartete. Über das »Interview« braucht ja wohl nichts mehr gesagt zu werden. Man weiß, wie das ausging. (Siehe Seite 9.)

50.

Um die überraschende – *alle* Beteiligten überraschende Auskunft des Pfarrers von Gemmelsbroich, Katharinas Vater sei ein verkappter Kommunist gewesen, auf ihren Wahrheitsgehalt zu prüfen, fuhr Blorna für einen Tag in dieses Dorf.

Zunächst: der Pfarrer bekräftigte seine Aussage, gab zu, daß die ZEITUNG ihn wörtlich und richtig zitiert habe, Beweise für seine Behauptung könnte er keine bringen, wollte er auch nicht, sagte sogar, die *brauche* er nicht, er könne sich auf seinen Geruchssinn immer noch verlassen, und er habe einfach gerochen, daß Blum ein Kommunist sei. Definieren wollte er seinen Geruchssinn nicht, war auch nicht sehr hilfsbereit, als Blorna ihn bat, ihm doch zu erklären, wenn er schon seinen Geruchssinn nicht definieren könne, *wie* denn nun der Geruch eines Kommunisten sei, sozusagen, *wie* ein Kommunist denn rieche, und hier nun – es muß leider gesagt werden – wurde der Pfarrer ziemlich unhöflich, fragte Blorna, ob dieser katholisch sei, und als jener das bejahte, verwies ihn der Pfarrer auf seine Gehorsamspflicht, was Blorna nicht verstand. Natürlich hatte er von da an Schwierigkeiten bei den Recherchen über die Blums, die nicht sonderlich beliebt gewesen zu sein schienen; er hörte Schlimmes über Katharinas verstorbene Mutter, die tatsächlich einmal in Gesellschaft des inzwischen entlassenen Küsters *eine* Flasche Meßwein in der Sakristei geleert hatte, hörte Schlimmes über Katharinas Bruder, der eine regelrechte Plage gewesen sei, aber das einzige, den Kommunismus von Katharinas Vater belegende Zitat war eine von jenem im Jahre 1949 in einer der sieben Kneipen des Dorfes dem Bauern Scheumel gegenüber getane Äußerung, die gelautet haben sollte, »Der Sozialismus ist gar nicht das schlechteste«. Mehr war nicht herauszukriegen. Das einzige, was Blorna erntete, war, daß er am Ende seiner mißglückten Recherchen im Dorf selbst als Kommunist nicht gerade beschimpft, aber bezeichnet wurde, und zwar, was ihn besonders schmerzlich überraschte, durch eine Dame, die ihm bis dato eine gewisse Hilfe, fast sogar Sympathie entgegengebracht hatte: die pensionierte Lehrerin Elma Zubringer, die ihn, als er sich von ihr verabschiedete, spöttisch anlächelte, ihm sogar zuzwinkerte und sagte: »Warum geben Sie nicht zu, daß Sie selbst einer von denen sind – und Ihre Frau erst recht.«

51.

Es kann hier leider die eine oder andere Gewalttätigkeit nicht verschwiegen werden, die sich ergab, während Blorna sich auf den Prozeß gegen Katharina vorbereitete. Den größten Fehler beging er, als er auf Katharinas Bitten auch die Verteidigung Göttens übernahm und immer wieder versuchte, für die beiden gegenseitige Besuchserlaubnis zu erwirken, da er darauf bestand, sie seien verlobt. Es habe eben an jenem fraglichen Abend des zwanzigsten Februar und in der darauffolgenden Nacht die Verlobung stattgefunden. Etc. Etc. Man kann sich ausmalen, was die ZEITUNG alles über ihn, über Götten, über Katharina, über Frau Blorna schrieb. Das soll hier nicht alles erwähnt oder zitiert werden. Gewisse Niveauverletzungen oder -verlassungen sollen nur dann vorgenommen werden, wenn sie notwendig sind, und hier sind sie nicht notwendig, weil man ja inzwischen die ZEITUNG wohl kennt. Es wurde das Gerücht ausgestreut, Blorna wolle sich scheiden lassen, ein Gerücht, an dem nichts, aber auch gar nichts wahr war, das aber dennoch zwischen den Eheleuten ein gewisses Mißtrauen säte. Es wurde behauptet, es ginge ihm finanziell dreckig, was schlimm war, weil es zutraf. Tatsächlich hatte er sich ein bißchen übernommen, da er außerdem eine Art Treuhänderschaft über Katharinas Wohnung übernommen hatte, die schwer zu vermieten war und auch nicht zu verkaufen, weil sie als »blutbefleckt« galt. Jedenfalls sank sie im Preis, und Blorna mußte gleichzeitig Amortisa-

108

tion, Zinsen etc. in unverminderter Höhe zahlen. Es gab sogar die ersten Anzeichen dafür, daß die »Haftex«, was ihren Wohnkomplex »Elegant am Strom wohnen« betraf, eine Schadenersatzklage gegen Katharina Blum erwog, weil diese den Miet-, Handels- und Gesellschaftswert geschädigt habe. Man sieht: Ärger, ziemlich viel Ärger. Ein Versuch, Frau Blorna aus der Architekturfirma zu entlassen wegen des Vertrauensbruches, der darin bestanden hatte, Katharina mit der Sub-Struktur des Wohnkomplexes vertraut zu machen, wurde zwar in erster Instanz abgewiesen, aber niemand ist sicher, wie die zweite und die dritte Instanz entscheiden werden. Noch eins: der Zweitwagen ist schon abgeschafft, und kürzlich war ein Foto von Blornas wirklich ziemlich elegantem »Superschlitten« in der ZEITUNG mit der Unterschrift: »Wann wird der rote Anwalt auf den Wagen des kleinen Mannes umsteigen müssen?«

52.

Natürlich ist auch Blornas Verhältnis zur »Lüstra« (Lüding und Sträubleder Investment) gestört, wenn nicht gelöst. Man spricht lediglich noch von »Abwicklungen«. Immerhin bekam er von Sträubleder kürzlich die telefonische Auskunft: »Verhungern lassen wir euch nicht«, wobei das Überraschende für Blorna war, daß Sträubleder »euch« statt »dich« sagte. Er ist natürlich noch für die »Lüstra« und die »Haftex« tätig, aber nicht mehr auf internationaler Ebene, sogar nicht mehr auf nationaler, nur noch selten auf regionaler, meistens auf lokaler, was bedeutet, daß er sich mit miesen Vertragsbrechern und Querulanten herumschlagen muß, die etwa ihnen versprochene Marmorverkleidungen einklagen, die nur in

Solnhofener Schiefer ausgeführt worden sind, oder Typen, die, wenn ihnen drei Schleiflackschichten auf Badezimmertüren versprochen wurden, mit dem Messer Farbe abkratzen, Gutachter anheuern, die feststellen, daß es nur zwei Schichten sind; tropfende Badewannenhähne, defekte Müllschlucker, die man zum Anlaß nimmt, vertraglich abgemachte Zahlungen nicht zu leisten – das sind so die Fälle, die man ihm jetzt überläßt, während er früher zwischen Buenos Aires und Persepolis nicht gerade ständig, aber doch ziemlich häufig unterwegs war, um bei der Planung großer Projekte mitzuwirken. Im militärischen Dienst nennt man das eine Degradierung, die meistens mit demütigenden Tendenzen verbunden ist. Folge: noch keine Magengeschwüre, aber Blornas Magen beginnt sich zu melden. Schlimm: daß er in Kohlforstenheim eigene Recherchen unternahm, um von dem örtlichen Polizeimeister zu erfahren, ob der Schlüssel, als man Götten verhaftete, innen oder außen steckte, oder ob man Anzeichen dafür gefunden habe, daß Götten eingebrochen sei. Was soll das, wo die Ermittlungen abgeschlossen sind? Das – es muß festgestellt werden – heilt die Magengeschwüre keinesfalls, wenn auch Polizeimeister Hermanns sehr nett zu ihm war, ihn keineswegs des Kommunismus verdächtigte, aber ihm dringend riet, die Finger davonzulassen. Einen Trost hat Blorna: seine Frau wird immer netter zu ihm, sie hat ihre scharfe Zunge immer noch, wendet sie aber nicht mehr gegen ihn an, nur noch gegen andere, wenn auch nicht gegen alle. Ihr Plan, die Villa zu verkaufen, Katharinas Wohnung freizukaufen und dorthin zu ziehen, scheiterte bisher nur an der Größe der Wohnung, was bedeutet: an deren Kleinheit, denn Blorna will sein Stadtbüro aufgeben und seine Abwicklungen zu Hause erledigen; er, der als Liberaler mit Bonvivant-Zügen galt, ein beliebter, lebenslustiger Kollege, dessen Parties beliebt waren, beginnt, asketische Züge zu zeigen, seine Kleidung, auf die er immer großen Wert legte, zu vernachlässigen, und da er sie *wirklich*, nicht auf eine modische Weise vernachlässigt, behaupten manche Kollegen sogar, er betreibe nicht einmal mehr ein Minimum an Körperpflege und beginne zu riechen. So kann man sich wenig Hoffnung auf eine neue Karriere für ihn machen, denn tatsächlich – hier soll nichts, aber auch gar nichts verschwiegen werden – ist sein Körpergeruch nicht mehr der alte, der eines Mannes, der morgens munter unter die Dusche springt, reichlich Seife, Desodorants und Duftwasser verwendet. Kurz: es geht eine erhebliche Veränderung mit ihm vor sich. Seine Freunde – er hat noch einige, unter anderem Hach, mit dem er im übrigen in den Fällen Ludwig Götten und Katharina Blum beruflich zu tun hat – sind besorgt, zumal seine Aggressionen – etwa gegen die ZEITUNG, die ihn immer wieder mit kurzen Publikationen bedenkt – nicht mehr ausbrechen, sondern offensichtlich geschluckt werden. Die Sorge seiner Freunde geht so weit, daß sie Trude Blorna gebeten haben, unauffällig zu kontrollieren, ob Blorna sich Waffen besorgt oder Explosivkörper bastelt, denn der erschossene Tötges hat einen Nachfolger gefunden, der unter dem Namen Eginhard Templer eine Art Fortsetzung von Tötges betreibt: es gelang diesem Templer, Blorna beim Betreten einer privaten Pfandleihe zu fotografieren, dann, offenbar durchs Schaufenster fotografiert, den Lesern der ZEITUNG Einblick in die Verhandlungen zwischen Blorna und dem Pfandleiher zu geben: es wurde dort über den Leihwert eines Ringes verhandelt, den der Pfandleiher mit einer Lupe begutachtete. Unterschrift des Bildes: »Fließen die roten Quellen wirklich nicht mehr, oder wird hier Not vorgetäuscht?«

Blornas größte Sorge ist, Katharina so weit zu bringen, daß sie bei der Hauptverhandlung aussagen wird, sie habe erst am Sonntagmorgen den Entschluß gefaßt, sich an Tötges zu rächen, keineswegs mit tödlicher, nur mit abschreckender Absicht. Sie habe zwar bereits am Samstag, als sie Tötges zu einem Interview einlud, die Absicht gehabt, ihm tüchtig die Meinung zu sagen und ihn darauf aufmerksam zu machen, was er in ihrem Leben und im Leben ihrer Mutter angerichtet habe, aber töten wollen habe sie ihn nicht einmal am Sonntag, nicht einmal nach Lektüre des Artikels in der SONNTAGS-ZEITUNG. Es soll der Eindruck vermieden werden, Katharina habe den Mord tagelang geplant und auch planmäßig ausgeführt. Er versucht ihr – die angibt, schon am Donnerstag nach Lektüre des ersten Artikels *Mordgedanken* gehabt zu haben – klarzumachen, daß manch einer – auch er – gelegentlich Mordgedanken habe, daß man aber den Unterschied zwischen Mordgedanken und Mordplan herausarbeiten müsse. Was ihn außerdem beunruhigt: daß Katharina immer noch keine Reue empfindet, sie deshalb auch nicht vor Gericht wird zeigen können. Sie ist keineswegs deprimiert, sondern irgendwie glücklich, weil sie »unter denselben Bedingungen wie mein lieber Ludwig« lebt. Sie gilt als vorbildliche Gefangene, arbeitet in der Küche, soll aber, wenn sich der Beginn der Hauptverhandlung noch hinauszögert, in die Wirtschaftsabteilung (Ökonomie) versetzt werden; dort aber – so ist zu erfahren – erwartet man sie keineswegs begeistert: man fürchtet – auf Verwaltungs- und auf Häftlingsseite – den Ruf der Korrektheit, der ihr vorangeht, und die Aussicht, daß Katharina möglicherweise ihre ganze Haftzeit – man rechnet damit, daß fünfzehn Jahre beantragt werden und daß sie acht bis zehn Jahre bekommt – im Wirtschaftswesen beschäftigt werden soll, verbreitet sich als Schreckensnachricht durch alle Haftanstalten. Man sieht: Korrektheit, mit planerischer Intelligenz verbunden, ist nirgendwo erwünscht, nicht einmal in Gefängnissen, und nicht einmal von der Verwaltung.

54.

Wie Hach Blorna vertraulich mitteilte, wird man die Mordanklage gegen Götten wahrscheinlich nicht aufrechterhalten können und also auch nicht erheben. Daß er aus der Bundeswehr nicht nur desertiert ist, sondern diese segensreiche Einrichtung außerdem erheblich geschädigt hat (auch materiell, nicht nur moralisch), gilt als erwiesen. Nicht Bankraub, sondern totale Ausplünderung eines Safes, der den Wehrsold für zwei Regimenter und erhebliche Geldreserven enthielt; außerdem Bilanzfälschung, Waffendiebstahl. Nun, man muß auch für ihn mit acht bis zehn Jahren rechnen. Er wäre dann bei seiner Entlassung etwa vierunddreißig, Katharina wäre fünfunddreißig, und sie hat tatsächlich Zukunftspläne: sie rechnet damit, daß sich ihr Kapital bis zu ihrer Entlassung erheblich verzinst und will dann »irgendwo, natürlich nicht hier« ein »Restaurant mit Traiteurservice« aufmachen. Ob sie nun als Göttens Verlobte gelten darf, das wird wahrscheinlich nicht an höherer, sondern an höchster Stelle entschieden. Entsprechende Anträge liegen vor und sind auf dem langen Marsch durch die Instanzen. Übrigens handelte es sich bei den Telefonkontakten, die Götten von Sträubleders Villa aus aufnahm, ausschließlich um Bundeswehrangehörige oder deren Frauen, darunter Offiziere und Offiziersfrauen. Man rechnet mit einem Skandal mittleren Umfangs.

Während Katharina fast unangefochten, lediglich in ihrer Freiheit eingeschränkt, der Zukunft entgegensieht, befindet sich auch Else Woltersheim auf dem Weg in eine sich steigernde Verbitterung. Es hat sie sehr getroffen, daß man ihre Mutter und ihren verstorbenen Vater diffamierte, der als Opfer des Stalinismus gilt. Man kann bei Else Woltersheim verstärkte gesellschaftsfeindliche Tendenzen feststellen, die zu mildern nicht einmal Konrad Beiters gelingt. Da Else sich immer mehr aufs kalte Buffet spezialisiert hat, sowohl, was die Planung wie Erstellung und Überwachung betrifft, wendet sich ihre Aggressivität immer mehr gegen die Partygäste, mögen es nun ausländische oder inländische Journalisten, Industrielle, Gewerkschaftsfunktionäre, Bankiers oder leitende Angestellte sein. »Manchmal«, sagte sie neulich zu Blorna, »muß ich mich mit Gewalt zurückhalten, um nicht irgendeinem Seeger eine Schüssel Kartoffelsalat über den Frack oder irgendeiner Zicke eine Platte mit Lachsschnittchen in den Busenausschnitt zu kippen, damit die endlich das Gruseln lernen. Sie müssen sich das mal von der anderen, von unserer Seite aus vorstellen: wie sie da alle mit ihren aufgesperrten Mündern, oder sagen wir lieber Fressen, stehen, und wie sich natürlich alle erst einmal auf die Kaviarbrötchen stürzen – und da gibt es Typen, von denen ich weiß, daß sie Millionäre sind oder Millionärsfrauen, die stecken sich auch noch Zigaretten und Streichhölzer, Petit-Fours in die Tasche. Nächstens bringen sie noch irgendwelche Plastiktüten mit, in denen sie den Kaffee davonschleppen – und das alles, alles wird doch irgendwie von unseren Steuern bezahlt, so oder so. Da gibt es Typen, die sich das Frühstück oder das Mittagessen sparen und wie die Geier übers Buffet herfallen – aber ich möchte damit natürlich die Geier nicht beleidigen.«

56.

An handgreiflichen Gewalttätigkeiten ist bisher eine bekanntgeworden, die leider ziemlich viel öffentliche Beach-
tung fand. Anläßlich einer Ausstellungseröffnung des Malers
Frederick Le Boche, als dessen Mäzen Blorna gilt, traf er zum
erstenmal wieder Sträubleder persönlich, und als dieser ihm
strahlend entgegenkam, Blorna ihm aber die Hand nicht geben wollte, Sträubleder Blornas Hand aber geradezu ergriff
und ihm zuflüsterte: »Mein Gott, nimm das doch nicht zu
ernst, wir lassen euch schon nicht verkommen – nur läßt du
dich leider verkommen.« Nun, es muß korrekterweise leider
berichtet werden, daß in diesem Moment Blorna Sträubleder
wirklich in die F... schlug. Rasch gesagt, um ebenso rasch
vergessen zu werden: es floß Blut, aus Sträubleders Nase,
nach privaten Schätzungen etwa vier bis sieben Tropfen, aber,
was schlimmer war: Sträubleder wich zwar zurück, sagte aber
dann: »Ich verzeihe dir, verzeihe dir alles – angesichts deines
emotionellen Zustandes.« – Und so kam es, da diese Bemer-
kung Blorna über die Maßen zu reizen schien, zu etwas, das
Augenzeugen als »Handgemenge« bezeichneten, und wie es
nun einmal so ist, wenn Leute wie Sträubleder und Blorna
sich in der Öffentlichkeit zeigen, war auch der Fotograf von
der ZEITUNG, ein gewisser Kottensehl, der Nachfolger des
erschossenen Schönner, zugegen, und man kann es vielleicht
der ZEITUNG – da man ja ihren Charakter inzwischen kennt
– nicht übelnehmen, daß sie das Foto von diesem Handgemenge publizierte mit der Überschrift: »Konservativer Politiker von linkem Anwalt tätlich angegriffen.« Am nächsten
Morgen natürlich erst. Während der Ausstellung kam es noch
zu einer Begegnung zwischen Maud Sträubleder und Trude
Blorna. Maud Sträubleder sagte zu Trude Blorna: »Mein
Mitleid ist dir gewiß, liebe Trude«, woraufhin Trude B. zu

Maud S. sagte: »Tu dein Mitleid nur schleunigst in den Eisschrank zurück, wo alle deine Gefühle lagern.« Als sie dann
noch einmal von Maud S. Verzeihung, Milde, Mitleid, ja fast
Liebe angeboten bekam mit den Worten: »Nichts, gar nichts,
auch nicht déine zersetzenden Äußerungen können meine
Sympathie verringern«, antwortete Trude B. mit Worten, die
hier nicht wiedergegeben werden können, über die nur in
referierender Form berichtet werden kann; damenhaft waren
die Worte nicht, mit denen Trude B. auf die zahlreichen
Annäherungsversuche von Sträubleder anspielte und unter
anderem – unter Verletzung der Schweigepflicht, der auch die
Frau eines Anwalts unterliegt – auf Ring, Briefe und Schlüssel
hinwies, die »dein immer wieder abgewiesener Freier in einer
gewissen Wohnung gelassen hat«. Hier wurden die strei-
tenden Damen durch Frederick Le Boche getrennt, der es sich
nicht hatte nehmen lassen, Sträubleders Blut geistesgegen-
wärtig mit einem Löschblatt aufzufangen und zu einem – wie
er es nannte – »One minute piece of art« zu verarbeiten, dem
er den Titel »Ende einer langjährigen Männerfreundschaft«
gab, signierte und nicht Sträubleder, sondern Blorna
schenkte, mit den Worten: »Das kannst du verscheuern, um
deine Kasse ein bißchen aufzubessern.« Man sollte an dieser
letzterwähnten Tatsache sowie an den eingangs beschriebe-
nen Gewalttätigkeiten erkennen dürfen, daß die Kunst doch
noch eine soziale Funktion hat.

57.

Es ist natürlich äußerst bedauerlich, daß hier zum Ende hin so
wenig Harmonie mitgeteilt und nur sehr geringe Hoffnung
auf solche gemacht werden kann. Nicht Integration, Kon-

frontation hat sich ergeben. Man muß sich natürlich die Frage erlauben dürfen, wieso oder warum eigentlich? Da ist eine junge Frau gut gelaunt, fast fröhlich zu einem harmlosen Tanzvergnügen gegangen, vier Tage später wird sie – da hier nicht ge-, sondern nur berichtet werden soll, soll es bei der Mitteilung von Fakten belassen bleiben – zur Mörderin, eigentlich, wenn man genau hinsieht, auf Grund von Zeitungsberichten. Es kommt zu Gereiztheiten und Spannungen, schließlich Handgreiflichkeiten zwischen zwei sehr sehr lange befreundeten Männern. Spitze Bemerkungen von deren Frauen. Abgewiesenes Mitleid, ja abgewiesene Liebe. Höchst unerfreuliche Entwicklungen. Ein fröhlicher, weltoffener Mensch, der das Leben, das Reisen, Luxus liebt – vernachlässigt sich so sehr, daß er Körpergeruch ausströmt! Sogar Mundgeruch ist bei ihm festgestellt worden. Er bietet seine Villa zum Verkauf an, er geht zum Pfandleiher. Seine Frau sieht sich »nach etwas anderem um«, da sie sicher ist, in der zweiten Instanz zu verlieren; sie ist sogar bereit, diese begabte Frau ist bereit, wieder als bessere Verkäuferin mit dem Titel »Beraterin für Innenarchitektur« zu einer großen Möbelfirma zu gehen, aber dort läßt man sie wissen, »daß die Kreise, an die wir üblicherweise verkaufen, genau die Kreise sind, gnädige Frau, mit denen Sie sich überworfen haben«. Kurz gesagt: es sieht nicht gut aus. Staatsanwalt Hach hat Freunden bereits im Vertrauen zugeflüstert, was er Blorna selbst noch nicht zu sagen gewagt hat: daß man ihn als Verteidiger möglicherweise wegen erheblicher Befangenheit ablehnen wird. Was soll daraus werden, wie soll das enden? Was wird aus Blorna, wenn er nicht mehr die Möglichkeit hat, Katharina zu besuchen und mit ihr – man sollte es jetzt nicht mehr länger verschweigen! – Händchen zu halten. Kein Zweifel: er liebt sie, sie ihn nicht, und er hat nicht die geringste Hoffnung, denn alles, alles gehört doch ihrem »lieben Ludwig«! Und es muß hinzugefügt werden, daß »Händchen-Halten« hier eine vollkommen einseitige Sache ist, denn es besteht lediglich darin, daß er, wenn Katharina Akten oder Notizen oder Aktennotizen hinüberreicht, seine Hände auf ihre legt, länger, vielleicht drei-, vier- höchstens fünfzehntel Sekunden länger als üblich wäre. Verflucht, wie soll man hier Harmonie herstellen, und nicht einmal seine heftige Zuneigung zu Katharina veranlaßt ihn, sich – nun sagen wir einmal – ein bißchen häufiger zu waschen. Nicht einmal die Tatsache, daß er, er allein die Herkunft der Tatwaffe herausgefunden hat – was Beizmenne, Moeding und ihren Helfern nicht gelang –, tröstet ihn. Nun ist »herausgefunden« vielleicht zuviel gesagt, es handelt sich um ein freiwilliges Geständnis von Konrad Beiters, der bei dieser Gelegenheit zugab, er sei ein alter Nazi, und dieser Tatsache allein verdanke er es wahrscheinlich, daß man bisher auf ihn nicht aufmerksam geworden sei. Nun, er sei Politischer Leiter in Kuir gewesen und habe seinerzeit etwas für Frau Woltersheims Mutter tun können, und, nun, die Pistole sei eine alte Dienstpistole, die er versteckt, aber dummerweise Else und Katharina gelegentlich gezeigt habe; man sei sogar einmal zu dreien in den Wald gefahren und habe dort Schießübungen veranstaltet; Katharina habe sich als sehr gute Schützin erwiesen und ihn drauf aufmerksam gemacht, daß sie schon als junges Mädchen beim Schützenverein gekellnert habe und gelegentlich mal habe ballern dürfen. Nun, am Samstagabend habe Katharina ihn um seinen Wohnungsschlüssel gebeten mit der Begründung, er müsse doch verstehen, sie wolle einmal allein sein, ihre eigene Wohnung sei für sie tot, tot ... sie sei aber am Samstag doch bei Else geblieben und müsse sich die Pistole am Sonntag aus seiner Wohnung geholt haben, und zwar, als sie nach dem Frühstück und nach der Lektüre der SONNTAGSZEITUNG als Beduinenfrau verkleidet in diese Journalistenbumsbude gefahren sei.

58

Letzten Endes bleibt da doch noch etwas halbwegs Erfreuliches mitzuteilen: Katharina erzählte Blorna den Tathergang, erzählte ihm auch, wie sie die sieben oder sechseinhalb Stunden zwischen dem Mord und ihrem Eintreffen bei Moeding verbracht hatte. Man ist in der glücklichen Lage, diese Schilderung wörtlich zu zitieren, da Katharina alles schriftlich niederlegte und Blorna zur Verwendung beim Prozeß überließ.

»In das Journalistenlokal bin ich nur gegangen, um ihn mir mal anzuschauen. Ich wollte wissen, wie solch ein Mensch aussieht, was er für Gebärden hat, wie er spricht, trinkt, tanzt – dieser Mensch, der mein Leben zerstört hat. Ja, ich bin vorher in Konrads Wohnung gegangen und habe mir die Pistole geholt, und ich habe sie sogar selbst geladen. Das hatte ich mir genau zeigen lassen, als wir damals im Wald geschossen haben. Ich wartete in dem Lokal eineinhalb bis zwei Stunden, aber er kam nicht. Ich hatte mir vorgenommen, wenn er zu widerlich wäre, gar nicht zu dem Interview zu gehen, und hätte ich ihn vorher gesehen, wäre ich auch nicht hingegangen. Aber er kam ja nicht in die Kneipe. Um den Belästigungen zu entgehen, habe ich den Wirt, er heißt Kraffluhn, Peter, und ich kenne ihn von meinen Nebenbeschäftigungen her, wo er manchmal als Oberkellner aushilft – ich habe ihn gebeten, mich beim Ausschank hinter der Theke helfen zu lassen. Peter wußte natürlich, was in der ZEITUNG über mich gelaufen war, er hatte mir versprochen, mir ein Zeichen zu geben, wenn Tötges auftauchen sollte. Ein paarmal, weil ja nun Karneval war, habe ich mich auch zum Tanz auffordern lassen, aber als Tötges nicht kam, wurde ich doch sehr nervös, denn ich wollte nicht unvorbereitet mit ihm zusammentreffen. Nun, um zwölf bin ich dann nach Hause gefahren, und es war mir scheußlich in der verschmierten und verdreckten Wohnung. Ich habe nur ein paar Minuten warten müssen, bis es klingelte, gerade Zeit genug, die Pistole zu entsichern und griffbereit in meiner Handtasche zu plazieren. Ja und dann klingelte es, und er stand schon vor der Tür, als ich aufmachte, und ich hatte doch gedacht, er hätte unten geklingelt, und ich hätte noch ein paar Minuten Zeit, aber er war schon mit dem Aufzug raufgefahren, und da stand er vor mir, und ich war erschrocken. Nun, ich sah sofort, welch ein Schwein er war, ein richtiges Schwein. Und dazu hübsch. Was man so hübsch nennt. Nun, Sie haben ja die Fotos gesehen. Er sagte ›Na, Blümchen, was machen wir zwei denn jetzt?‹ Ich sagte kein Wort, wich ins Wohnzimmer zurück, und er kam mir nach und sagte: ›Was guckst du mich denn so entgeistert an, mein Blümelein – ich schlage vor, daß wir jetzt erst einmal bumsen.‹ Nun, inzwischen war ich bei meiner Handtasche, und er ging mir an die Kledage, und ich dachte: ›Bumsen, meinetwegen‹, und ich hab' die Pistole rausgenommen und sofort auf ihn geschossen. Zweimal, dreimal, viermal. Ich weiß nicht mehr genau. Wie oft, das können Sie ja in dem Polizeibericht nachlesen. Ja, nun müssen Sie nicht glauben, daß es was Neues für mich war, daß ein Mann mir an die Kledage wollte – wenn Sie von Ihrem vierzehnten Lebensjahr an, und schon früher, in Haushalten arbeiten, sind Sie was gewohnt. Aber *dieser* Kerl – und dann ›Bumsen‹, und ich dachte: Gut, jetzt bumst's. Natürlich hatte er damit nicht gerechnet, und er guckte mich noch 'ne halbe Sekunde oder so erstaunt an, so wie im Kino, wenn einer plötzlich aus heiterem Himmel erschossen wird. Dann fiel er um, und ich glaube, daß er tot war. Ich habe die Pistole neben ihn geschmissen und bin raus, mit dem Aufzug runter, und zurück in die Kneipe, und Peter war erstaunt, denn ich war kaum eine halbe Stunde weggewesen. Ich hab' dann weiter an der Theke gearbeitet, habe nicht mehr getanzt, und die ganze Zeit über dachte ich ›Es ist wohl doch nicht wahr‹, ich wußte aber, daß es wahr war. Und Peter kam manchmal zu mir und sagte: Der kommt heute nicht, dein Kumpel da, und ich sagte: Sieht ganz so aus. Und tat gleichgültig. Bis vier habe ich Schnäpse ausgeschenkt und Bier gezapft und Sektflaschen geöffnet und Rollmöpse serviert. Dann bin ich gegangen, ohne mich von Peter zu verabschieden, bin erst in eine Kirche nebenan, hab' da vielleicht eine halbe Stunde gesessen und an meine Mutter gedacht, an dieses verfluchte, elende Leben, das sie gehabt hat, und auch an meinen Vater, der immer, immer nörgelte, immer, und auf Staat und Kirche, Behörden und Beamte, Offiziere und alles schimpfte, aber wenn er mal mit einem von denen zu tun hatte, dann ist er gekrochen, hat fast gewinselt vor Unterwürfigkeit. Und an meinen Mann, Brettloh, an diesen miesen Dreck, den er diesem Tötges erzählt hatte, an meinen Bruder natürlich, der ewig und ewig hinter meinem Geld her war, wenn ich nur ein paar Mark verdient hatte, und sie mir abknöpfte für irgendeinen Blödsinn, Kleider oder Motorräder oder Spielsalons, und natürlich auch an den Pfarrer, der mich in der Schule immer »unser rötliches Kathrinchen« genannt hat, und ich wußte gar nicht, was er meinte, und die ganze Klasse lachte, weil ich dann wirklich rot wurde. Ja. Und natürlich auch an Ludwig. Dann bin ich aus der Kirche raus und ins nächstbeste Kino, und wieder raus aus dem Kino, und wieder in eine Kirche, weil das an diesem Karnevalssonntag der einzige Ort war, wo man ein bißchen Ruhe fand. Ich dachte natürlich auch an den Erschossenen da in meiner Wohnung. Ohne Reue, ohne Bedauern. Er wollte doch bumsen, und ich habe gebumst, oder? Und einen Augenblick lang dachte ich, es wäre der Kerl, der mich nachts angerufen hat und der auch die arme Else dauernd belästigt hat. Ich dachte, das ist doch die Stimme, und ich wollte ihn noch ein bißchen quatschen lassen, um es herauszukriegen, aber was hätte mir das genutzt? Und dann hatte ich plötzlich Lust auf einen starken Kaffee und bin zum Café Bekering gegangen, nicht ins Lokal, sondern in die Küche, weil ich Käthe Bekering, die Frau des Besitzers, von der Haushaltsschule her kenne. Käthe war sehr nett zu mir, obwohl sie ziemlich viel zu tun hatte. Sie hat mir eine Tasse von ihrem eigenen Kaffee gegeben, den sie ganz nach Omas Art noch richtig auf den gemahlenen Kaffee aufschüttet. Aber dann fing sie auch mit dem Kram aus der ZEITUNG an, nett, aber doch auf eine Weise, als glaubte sie wenigstens ein bißchen davon – und wie sollen die Leute denn auch wissen, daß das alles gelogen ist. Ich habe ihr zu erklären versucht, aber sie hat nicht verstanden, sondern nur mit den Augen gezwinkert und gesagt: ›Und du liebst also diesen Kerl wirklich‹, und ich habe gesagt ›Ja‹. Und dann habe ich mich für den Kaffee bedankt, hab mir draußen ein Taxi genommen und bin zu diesem Moeding gefahren, der damals so nett zu mir war.«

NOTES

The numbers refer to pages.
Abbreviations: *sl.* = slang, *coll.* = colloquial, *fig.* = figurative

7   **Vernehmungsprotokolle:** 'official records of the interrogation.'

   Untersuchungsbehörde: 'authority carrying out the inquiry.'

   Recherchen *(French):* 'inquiries.'

   Verstrickung: 'entanglement.'

   Verwicklung: 'involvement.'

   Befaßtheit: 'relevance.'

8   **Quelle:** (see Introduction p. xxxiii) the narrator is extending the metaphor of 'sources' and compares his technique of writing to a tapping and draining process. He uses pieces of information from a variety of sources (he compares them to puddles), tries to combine them in various ways (builds canals to link them), but is not always successful in doing so (hence the images of stagnation and overflow). The interaction of the various sources (they are, so to speak, on various levels) contributes to the speeding up or slowing down of the narrative flow.

   behördlicherseits erstellte: 'provided by the authorities.'

   Weiberfastnacht: a special carnival day. It is an old custom in certain parts of Germany for women to take over men's roles for one day during the Carnival. Böll's native Cologne is one of the great centres of the Rhineland carnival, and it is clear that the novel is set in this general area, although there are no specific references.

9   **es wird hiermit … ermöglichen:** i.e. it is necessary for the flow of the narrative to skip four days at this stage (see Introduction, p. xxxiii and note on "Quelle", p. 8).

   läßt … in eine Zelle verbringen *(archaic legal language):* 'has the young woman put in a cell.'

   notwendige Niveauunterschiede … gelten: play with the word *Niveau;* it is neither necessary nor desirable for the narrator to lower himself to a sensationalist level by describing the shooting of Tötges in full detail.

   Grusi-: = *Grusical* (analogous to Musical), used for a sensationalist horror production. (*cf. sich gruseln,* 'to get the creeps').

10   **zurechtgeschneidert:** 'patched up.'

Spritzpistole: 'spraygun'. The narrator does not want to sensationalize Tötges' death by describing it in full detail. His distancing device lies in his ironic comparison: he refers to the techniques and effects in modern painting (see Introduction p. xxvi).

der Blum: here a derogatory use of the article.

11   **war bei ihrer Bluttat ... zu Werke gegangen:** 'had gone about her bloody deed.'

mit einer Brumme abgehauen *(sl.):* 'gone off with some bit of skirt.'

Karnevalsfunktionär: the German carnival is highly institutionalized; its organization is taken very seriously and carried out by a specially appointed board (see Introduction p. xxxiii).

12   **Stimmung und Geschäft sind hin** *(coll.):* 'the atmosphere and business are ruined'. The carnival period means good business, especially for anyone in the catering trade.

versaut *(vulgar):* 'messed up.'

13   **Vermögensverwalter:** 'official custodian', 'trustee.'

was »Handfestes abzustauben« *(sl.):* 'get his hands on something substantial', i.e. money, valuables.

14   **Asservatenkammer:** room where pieces of evidence are kept to be produced in court.

ins Saisongeschäft gehen: 'take on work during the (carnival) season.'

verklemmt *(coll.):* 'inhibited', especially sexually.

bohemeartigen Dinger *(coll.):* 'way-out places', i.e. sleazy bars etc.

15   **in denen es ihr zu wüst zuging:** 'where the goings-on were too wild for her liking.'

konfessionelle Tanzveranstaltungen: i.e. dances organized by the churches. The different denominations organize their own carnival activities.

die ... alten Herrschaften: 'the elderly couple.'

ungedeckt: 'unaccounted for.'

Honanseide: wild silk from the Chinese province of Honan.

16   **Dankbarkeit zu zollen:** 'to acknowledge one's indebtedness to.'

die an justizinternen Klatsch grenzende Mitteilung: 'the information which was little more than gossip among members of the legal fraternity.'

Zäpfchen: diminutive of *Zapfen*. This is a pun on two meanings: 1. *(med.)* suppository; 2. *(sl.)* telephone tapping device.

17 **zum besten gab:** 'gave an account of.'

18 **Hat er dich denn gefickt?** *(vulgar):* 'Did he have sexual intercourse with you then?'

Sexklemmer *(sl.):* someone who is sex-starved, therefore obsessed with sex.

19 **saturnalienartige:** periphrastic for 'Carnival'. *Saturnalia:* Roman festival of pageant and unrestrained orgies.

20 **sich herzurichten:** 'to smarten herself up.'

Gemmelsbroich ... Kuir: the names are invented, although there are numerous place names ending in-broich between Düsseldorf and Mönchen-Gladbach, and a Buir west of Cologne.

staublungenverdächtig: suspected of suffering from the miners' lung disease caused by inhalation of dust (pneumonokoniosis).

Versorgungsamt: 'pension office.'

Knappschaft: originally the miner's guild, now the body responsible for miners' health insurance and pensions.

Putzstellen annahm: 'took on various jobs as a cleaner.'

21 **Hauswirtschaftsschule:** 'home economics college,' with courses leading to a diploma as *staatlich geprüfte Wirtschafterin* ('fully qualified home economist'). This is a more exalted position than that of a mere *Haushälterin*.

Trommlerkorps: 'fife and drum band'. A local band, military in style, which would take part in carnival processions etc.

bei starkem Ausflüglerverkehr: 'when a lot of people went there for their day out;' cf. *einen Ausflug machen,* to have a day out.

schuldig geschieden wegen böswilligen Verlassens: 'divorced as the guilty party because of wilful desertion' (no longer applicable since the 1977 reform of marital law).

Wirtschaftsprüfer: 'chartered accountant.'

22 **Steuerhinterziehungen:** 'tax evasions.'

Untersuchungsgefängnis: 'remand prison' (awaiting trial).

Ardennenpastete: 'Ardennes (-style) pâté.'

er verbat sich das regelrecht: 'he simply would not hear of it.'

Satellitenstadt: 'dormitory town/suburb.'

23 **Amortisation:** 'paying off' (of the loan).

Mindestbelastung: 'minimum payment.'

Traiteur *(French):* 'caterer.'

auf Pauschale: 'for an all-in fee.'

Bruttoeinnahmen: 'earnings before tax', 'gross income.'

24 **mir günstig überließ:** 'sold me at a favourable price.'
25 **durch Naserümpfen:** 'by turning up her nose,' 'making a face.'
      ihr einen auszugeben *(coll.):* 'to treat her to something.'
      einsichtigerweise *(rare):* 'understandably.'
      Abschluß derselben *(archaic):* instead of "*deren* Abschluß";
          the clumsy language used in police reports is here being
          imitated and satirized (see Introduction p. xxvi).
28 **sehr elastisch wirkend:** 'fit and dynamic-looking.'
      aus »offensichtlich besseren« Kreisen: 'from "obviously
          upper class" circles.'
      Schlacks *(sl.):* more usually *Schlaks*, 'lanky fellow.'
      die von ihm gebaute Brücke *(fig.):* cf. *jemandem eine goldene
          Brücke bauen*, 'to help s.o. out of a difficulty.'
29 **griff brutal zu** *(fig.):* 'cut in roughly.'
      damit war Katharina Blum engültig verbockt: 'that finally
          made Katharina Blum retreat into her shell.'
30 **fix und fertig:** here 'physically and emotionally exhausted.'
      heikle Ratschläge: here 'risky advice.'
31 **die ihn hätten teuer zu stehen kommen können:** 'which could
          have cost him dear.'
      vermasselt *(coll.):* 'ruined.'
      ihn ... auf Katharina angequatscht *(coll.):* 'pestered him with
          questions about Katharina.'
32 **hinüber** *(coll.):* 'over and done with', 'ruined.'
33 **der traue ich alles zu:** here derogatory use of article: 'I wouldn't
          put any thing past *her*!'
      verkappt: 'in disguise.'
      Meßwein: 'altar wine.'
      Bandentreff: 'gangs' meeting place.'
      Waffenumschlagplatz: place where weapons are stored and
          from which they are distributed.
      arbeitet auf Hochtouren: 'is working flat out.'
      bleibt ... am Ball *(coll. fig.):* 'keeps up with every develop-
          ment'; the idiom originally referred to football – the player
          controlling the ball has a decisive influence on the game.
      total aufgelöst *(fig.):* 'completely gone to pieces.'
34 **Hauptreferat:** 'main talk.'
      zu dem zwanglosen Beisammensein stoßen: 'join the informal
          social gathering.'
      vermurkste Ehe *(coll.):* 'messed up marriage.'
35 **Sie wittert großes Unheil:** 'She senses a great disaster in the air.'
      saisongemäß fröhlich: ironic way of questioning carnival as

the time of official merrymaking and institutionalized humour.

zerknittert: 1. 'crushed', 'crumpled'; 2. *(fig.)* 'depressed', 'miserable'. Böll implies both meanings.

36 **tschüs** *(coll.):* 'see you!'

eingestöpselt: 'plugged in.'

die Lust an ihr verliert: 'loses interest in her', 'gets tired of her.'

37 **mir tritschen gegangen ist** *(coll.):* 'walked out on me.'

sie wollte hoch hinaus: 'she was aiming high', 'she was ambitious.'

38 **Altphilologe:** 'classicist', here 'classics teacher.'

Altbauer: retired farmer who has handed over the farm to his son but is still living there.

39 **Hier muß eine Art Rückstau vorgenommen werden:** 'a build-up (of events) has to be dealt with'; (see note to p. 8 on "Quelle" and Introduction p. xxxiii).

machte keinen Hehl daraus, daß . . .: 'made no secret of the fact that . . .'

affig: 'snobbish', 'affected.'

40 **ein ungeschliffener Kerl:** 'a rough (-mannered) fellow.'

Verfänglichkeiten: 'compromising details', 'suspicious facts.'

Schriftsachverständiger: 'handwriting expert.'

schulbeispielhaft: 'a textbook case.'

Um- oder Abbuchung: 'transfer or withdrawal' (of money).

Steuerbescheide: 'tax assessments.'

Bilanzfachmann: 'accountant.'

41 **Verdachtsmomente:** 'grounds for suspicion.'

wegen Einbruchdiebstahls einsaß: 'was serving a sentence for burglary.'

Kirchensteuer: in the Federal Republic, the established churches levy taxes from their members which are collected by the State.

42 **hakte Beizmenne . . . ein:** 'Beizmenne broke in', 'butted in.'

einfach los und drauflos: 'just to get away, anywhere.'

Koblenz . . . Aachen: Koblenz is on the Rhine south of Cologne, where the Moselle joins it, and Aachen is due west of Cologne near the Belgian frontier.

fällig: here 'lined up.'

Anschluß: 'opportunity of getting to know people.'

45 **etwas aus ihrer Intimsphäre preisgegeben:** 'made an intimate disclosure.'

straffällig gewordene: i.e. who had been convicted.

geb.: = *geborene,* 'née.'

46 Urlaubsgeld: 'holiday pay.'

Wehrmacht: the name for the German Armed Forces (up to 1945).

den notariellen Urkunden: 'the documents which had been certified by a notary.'

47 stehenden Fußes *(fig.):* 'at once', 'on the spot.'

48 Ungereimtheiten: 'inconsistencies.'

cremefarben gefüttert: 'lined with cream paper'. In fact in Germany most envelopes for personal correspondence are lined.

belastet: 'incriminates.'

Kavalier dieses Schlags *(ironical):* 'a cavalier of that ilk.'

49 aufwendig wattierten: 'extravagantly lined' (literally 'padded').

zugegebenermaßen: 'on her own admission.'

einem Aniszeug *(coll.):* 'some kind of aniseed stuff.'

ob ihr nicht einleuchte: 'did she not realize.'

50 sich einmal einen anzutrinken *(coll.):* 'to get tipsy for once.'

hochverzinslichen Kredit: 'loan with a high interest rate.'

Laufende Kosten: 'day-to-day expenses.'

Stauungen: 'blockages' (see note to p. 8).

um- und abgelenkt: 'diverted.'

51 verdrängt: 'pushed to the back of her mind', 'suppressed.'

Zärtlichkeitsempfinder: 'feelers of tenderness' i.e. lovers. Böll's own coinage.

52 belanglos plaudern: 'to talk about trivial things'; 'chat aimlessly.'

Durchstich eines Nebenpfützenstaus: 'piercing through a minor stoppage'. See note to p. 8 ("Quelle") and Introduction p. xxxiii.

sich strafbar gemacht: 'committed an offence.'

53 sie mußte ... Mitwisserin gewisser Straftaten sein: 'she must also have known about certain criminal acts (without disclosing them to the police).'

auf den Kopf zu: 'to her face.'

Kittchen *(sl.):* 'clink', 'prison.'

es wurde K. B. anheimgestellt: 'It was left to K. B. to decide.'

ihr endgültig verleidet: 'spoilt for her once and for all.'

54 Presseverlautbarung: 'press statement.'

undichte Stellen: 'leaks', here people who were leaking information.

55 unbescholtenen: 'of unblemished reputation.'

56 **erlitt... einen entscheidenden Schlag:** 'was dealt a crucial blow.'

57 **eine »ziemlich kitschige Angelegenheit«:** 'a "rather tawdry business."'

der Unordentlichkeit überführt: 'found guilty of irregular behaviour.'

Schleimscheißer *(vulgar):* 'bootlicker.'

gleich kriecherisch: 'in the same servile manner.'

58 **Handwerkskammer:** 'Chamber of Trade', body responsible for maintaining standards, administering examinations, granting certificates etc. within a certain district.

im Prüfungsausschuß: 'on the committee of examiners.'

strafrechtlich zu verfolgen: 'to bring criminal charges against...'

daß... gegen illegitime Informationsquellen eine Anzeige gegen Unbekannt erhoben werde: 'that proceedings will be taken against persons unknown for illegal use of sources of information.'

Anlaß zu vergröberten Darstellungen: 'cause to write these crudely distorted accounts.'

59 **verbat sich:** 'protested against.'

daß es ihr fernliege: 'that it would never occur to her.'

polizeiliches Führungszeugnis: 'police record', stating what offences (if any) have been committed.

mit einem Mißton: 'on a jarring note.'

60 **Bundeswehr:** German Federal Armed Forces.

bei den Pionieren: 'with the engineers.'

zur Innenstreife eingeteilt worden: 'been detailed for the barrack patrol.'

61 **in so einer Art witzig gemeinter Demut:** 'in a kind of humble way, meaning to be witty,'

62 **mit Beschlag belegte:** 'bagged', 'monopolized.'

vertraut, ja fast vertraulich: 'on familiar, almost intimate terms.'

Verwaltungsangestellte: 'municipal employees.'

63 **totale Vereinnahmung:** 'complete monopolization.'

Es wurde ihr... nahegelegt: 'she was urged.'

aufgedonnert *(coll.):* 'dolled up', 'tarted up.'

64 **Präsidium:** 'police headquarters.'

auf mögliche Befragungslücken: 'for any questions that might have been omitted.'

dieses Scheichs... habhaft zu werden: 'to catch this sheikh.'

65 **aus naheliegenden Gründen:** 'for obvious reasons'; with the

growing awareness of the energy supply situation, the Middle East became the focus of attention. People would therefore prefer to dress up as 'Sheikhs' rather than 'Cowboys,' whose popularity had diminished since the USA was no longer the great source of riches.

verkaterte: 'hung over', cf. *der Kater,* hangover.

erfaßt: 'traced.'

als Zufalls-, nicht als Plankontakte: 'as persons met by chance, not by arrangement.'

läßt Rückschlüsse auf einen Code zu: 'leads one to suppose that a code was being used.'

66 **abgezischt** *(coll., derogatory):* 'dashed off.'

für ihn... als Quartiermacherin fungiert hat: 'has found a place for him to live.'

gecheckt *(coll.):* 'checked out'. A common Anglicism.

67 **Spannungsstau:** 'build-up of tension.'

68 **Briefschaften:** slightly archaic for 'mail.'

69 **starker Tobak** *(coll.):* 'strong stuff', 'a bit much.'

roter Wühlmaus: 'communist rat.'

Kreml-Tante: 'Kremlin Auntie.'

70 **eine angebrochene Flasche:** 'an already opened bottle.'

71 **damit basta** *(coll.):* 'that's that.'

sich in ihr etwas »gesteigert hat«: 'something "came to a head" inside her.'

Straucheln: 'straying from the straight and narrow.'

72 **»eitle Fatzke«** *(coll., pejorative):* 'vain jackass.'

affigen Briefumschlag: 'fancy envelope.'

sie beide fürchterlich in die Klemme gebracht *(coll.):* 'got them both into terrible trouble.'

den, der da kommen sollte *(biblical):* 'the promised one'; in other words 'the man who was meant for her.'

verhört bzw. vernommen: 'questioned or rather interrogated.'

Schmetterlingsfänger: here 'Don Juan.'

73 **damit »die Natur ihr Recht bekommt«:** 'so that nature gets its due', i.e. here so that she can sleep.

flattern: here 'to shake.'

einem den Nerv töten wollen: 'want to drive you crazy', 'break your nerve.'

74 **Lüstra:** name of the business firm of which Blorna is the legal adviser.

Rechtsbeistand: 'legal assistance.'

fernmündlich: 'over the telephone.'

ambulierenderweise *(unusual):* 'while walking up and down.'

75   **Kaffee aufgegossen:** 'made coffee.'
    freiwillig spitzelnder Mitbewohner: 'of neighbours doing a bit of snooping on their own account.'

76   **alle Sorten von Ein- und Ehebrechern:** 'all kinds of burglars and adulterers.'
    bei Rohrbrüchen und Kabelpannen: 'when there are burst pipes or power failures.'

77   **Kanaldeckel:** 'drain/manhole cover.'
    ist perdu *(coll., French):* 'has vanished into thin air.'
    mal so Anwandlungen hätten: 'sometimes had sudden strange impulses.'

78   **es . . . zu was gebracht habe:** 'had achieved something in life.'
    ihr verkorkstes Leben: 'her messed up life.'
    so verdammt verletzlich *(coll.):* 'so damned vulnerable.'
    ihm . . . einen »in die Fresse hauen« *(vulgar):* 'punch him in the kisser.'
    sie sei diesen Tricks . . . nicht gewachsen: 'she was not up to these tricks . . .'
    in einem bombastischen Mietwagen: 'in a showy hired car.'

79   **konnte sich nicht verkneifen:** 'could not resist.'

80   **daß die Funken fast überspringen:** 'that the sparks are ready to fly.'
    sanftgelb rauhfaserüberpinselt: 'with rough-textured plain wallpaper painted over in soft yellow.'
    Schwamm drüber *(coll.):* 'forget it.'
    Um nicht mit falschen gezinkten Karten zu spielen *(fig.):* 'to be perfectly honest'. *(gezinkte Karten,* secretly marked cards).
    Ich kann gegen die ZEITUNG ohnehin nicht an: 'I can't do anything against the ZEITUNG anyway.'

81   **das Interview wahrnimmt:** 'takes up the offer and comes to the interview.'
    Strohmann: 'stooge', acting on behalf of another (anonymous) person, e.g. in auctions or business transactions.
    in Rüttel- und Schüttelzügen: 'in bumpy and rattling trains.'
    verplempert *(coll.):* 'wastes.'

82   **auch wenn sie euch jetzt ein bißchen in die Zange nehmen** *(coll.):* 'even if they're getting their claws into you a bit.'
    Boulevardjournalismus: the kind of writing which appears in tabloid newspapers (*Boulevardzeitungen*). 'Boulevard' refers to their being sold exclusively in the streets and shops on a day-to-day basis, whereas the largest percentage of the serious newspapers' output is sold by monthly or yearly subscription and delivered by mail to the home of the

subscriber.

Leibesvisitation: 'search of her person', 'frisking.'

83 **seit zwei Tagen da hockt:** 'has been sitting tight down there for two days.'

ihn schnappen *(coll.):* 'nab him.'

84 **Dienst... mehr noch staatsbürgerlicher Natur:** 'service, which is not so much in the nature of a personal favour as a citizen's duty.'

Nullkommafünf-Millionen: i.e. half a million (marks). In Germany a comma is used instead of the decimal point: 0,5.

85 **es ist ganz schön rumgeballert worden** *(sl.):* 'there was quite a shoot-up down there.'

mach dich auf die Socken *(coll.):* 'get going', 'stir your stumps.'

T. B. an die Kehle zu springen *(coll.):* 'to fly at T. B.'s throat.'

ich habe sie... aufgetrieben *(coll.):* 'I ran her to earth.'

86 **Es hat keine Zeugniskraft:** 'it is inconclusive evidence.'

Öffentlichkeitswert: 'value to the public.'

87 **Telefonzapfer** (Böll's coinage): 'telephone tappers'. (see note to p. 16 on 'Zäpfchen').

unter Befehls-... unter Broterwerbsnotstand: *Befehlsnotstand* is the legal term used to exonerate those acting under pressure of obeying orders (which may be morally objectionable). The other term is coined on this analogy for those acting 'under pressure of earning a living.'

Zärtlichkeitsanbieter: Böll's coinage for someone who makes advances.

ein sein sauer verdientes Brot erwerbender Anzapfer: 'a (telephone) tapper making a hard-earned living.'

88 **»zueinander nicht kommen können«, wie die Königskinder:** the quotation is from the German folksong *Es waren zwei Königskinder,* based on the Hero and Leander myth, in which a lover is swimming to his beloved, but a 'treacherous nun' blows out the candles which are guiding him and he drowns. For "Quelle" see note to p. 8.

Palatschinken: Viennese-style pancake.

89 **ihm ist... die Tochter durchgebrannt** *(coll.):* 'perhaps his daughter has just run away from home.'

dem Hasch verfallen: 'become addicted to hashish.'

fast konzert-, aber mindestens chorreifen Bariton: 'baritone almost good enough for concert work, certainly good enough for a choir.'

referiert: a term from the academic world, usually used of someone reporting or reading a paper to a seminar.

90 **um die Ohren sausen** *(coll.):* 'buzz in the ears.'
  Tonbandstreitkräfte: (Böll's coinage) 'tape recording strike force'. Ironic use of a military term for those listening to recorded telephone conversations.
  Telefonsittenstrolch: (Böll's coinage) someone who makes immoral or suggestive remarks (or just breathes heavily!) on the telephone.

91 **Todesherbeiführer:** 'person causing her death.'

92 **einfachen Menschen Artikulationshilfe zu geben:** 'to help simple people to express themselves.'

93 **darf nicht befleckt werden:** 'must not be sullied.'

94 **Rufmörder:** 'character assassins.'

95 **diese ZEITUNGsmasche:** 'the dirty trick perpetrated by the ZEITUNG.'
  Strukturproblem: i.e. a problem caused by the structure of society; the reference is to the Marxist theory of social structure.
  Milieukummer: 'worries caused by her home background.'

96 **sie sei ja nicht andeutungsweise intim:** 'on her side there had never been any suggestion of intimacy.'

97 **Räuber- und Gendarmromantik:** refers to a popular children's game *Räuber und Gendarm* ('cops and robbers'); *Romantik* here = 'fantasy', 'story.'

98 **Rosenmontag:** the day before Shrove Tuesday and the penultimate day of carnival, when the big carnival processions take place.

100 **gestellt:** here 'cornered.'
  als Erstkommunikantin: 'at her first communion'. This is of course an important occasion for Catholics.

101 **nuttige Art** *(sl.):* 'tarty manner' (from *Nutte,* 'tart', 'prostitute').
  auszubaldowern *(sl.):* 'to spy out.'

102 **TH** = *Technische Hochschule,* 'technical University.'

103 **Hochsitzen:** 'raised hides' (for observing and shooting game).
  als er auskontaktiert gewesen sei *(police slang):* 'when the police had found out about all his contacts' (made while under secret surveillance).
  ebensowenig ein unbeschriebenes Blatt sei wie Frau Blorna: 'had just as much of a murky past as Frau Blorna.'

104 **KPD** = *Kommunistische Partei Deutschlands,* the German Communist Party. See Introduction, page xiv.
  Vermißtenlisten: 'lists of those missing' (from the war).

105 **es platzte ihm regelrecht der Kragen** *(coll.):* 'he really hit the

roof.'

weltläufiger Mensch (Böll's coinage): 'man of the world'; cf. *weltgewandt*.

besprach ihn: 'cast a spell on him.'

106 **es kam zu verschiedenen Krächen** *(coll.):* 'there were various quarrels'; unusual plural form of *Krach*.

107 **Gehorsamspflicht:** 'duty to be obedient.'

108 **Niveauverletzungen oder -verlassungen** (Böll's coinage): 'infringement of or departure from the *Niveau*'; intentionally ambiguous, meaning 1. 'level'; 2. 'standard' (see note to p. 8 on "Quelle").

Treuhänderschaft: 'trusteeship.'

109 **in erster Instanz abgewiesen:** 'rejected by the lower court.'

zweite und dritte Instanz: 'higher courts.'

»Superschlitten« *(sl.):* 'swanky car.'

Abwicklungen: 'winding-up of transactions.'

sich mit . . . herumschlagen muß: 'has to grapple with . . .'

110 **Solnhofer Schiefer:** a slate from the quarries of Solnhofen in South Germany.

Schleiflackschichten: 'coats of enamel.'

Persepolis: town in Iran, with famous archaeological remains.

mit Bonvivant-Zügen: 'who also knows how to live well.'

111 **private Pfandleihe:** 'private pawnshop.'

113 **Bilanzfälschung:** 'falsification of the accounts.'

114 **Seeger** *(sl.):* 'moron.'

Zicke *(sl.):* 'silly cow.'

Petit-Four *(French):* 'petits-fours', small iced cakes.

115 **Mäzen:** 'patron', 'backer' (of an artist).

116 **das kannst du verscheuern** *(sl.):* 'you can flog it.'

118 **beim Schützenverein gekellnert:** 'worked as a waitress at the rifle club'; these clubs whose traditions go back hundreds of years are part of German town life and their annual competitions are important social occasions.

ballern *(sl.):* 'shoot.'

Journalistenbumsbude *(sl.):* pub where journalists and reporters meet.

119 **Tathergang:** 'course of events.'

120 **bumsen** *(sl.):* 'make love', 'have it off.'

er ging mir an die Kledage *(coll.):* 'he accosted me sexually.'

121 **miesen Dreck** *(coll.):* 'lousy rubbish.'

sie mir abknöpfte *(coll.):* 'wheedled them out of me.'

122 **quatschen** *(coll.):* 'to rattle on.'

nach Omas Art: 'the way grandmother used to make it', 'in the good old-fashioned way.'